D1114689

IDA B.

... ET SES PLANS POUR S'AMUSER
À FOND, ÉVITER LES DÉSASTRES
ET (ÉVENTUELLEMENT) SAUVER LE MONDE

Illustration de couverture : Gipi

Titre original : *Ida B... and Her Plans to Maximise Fun, Avoid Disaster, and (Possibly) Save the World*
Pour l'édition originale publiée en 2004
par HarperCollins Publishers, New York

Dépôt légal : mai 2005
ISBN : 2-02-079391-1
N° 79391-1

www.seuil.com

Katherine Hannigan

IDA B.

... ET SES PLANS POUR S'AMUSER À FOND, ÉVITER LES DÉSASTRES ET (ÉVENTUELLEMENT) SAUVER LE MONDE

Traduit de l'américain
par Fanny Ladd et Noémie Rollet

Seuil

Pour les collines et les arbres,
le vent, les rivières et les étoiles.
Et pour Victor.
Toujours.
K.H.

CHAPITRE 1

« Ida B., me dit Maman lors d'une de ces journées qui commencent bien et tendent à la perfection jusqu'au soir, quand tu auras fini de ranger la vaisselle, tu pourras aller jouer. Papa et moi allons travailler jusqu'au dîner.

– Oui, m'dame», lui répondis-je, mais je lui dis plutôt comme ça : «Oui, m'daaame!» car j'avais hâte de retourner à mes petites affaires. J'entendais déjà le ruisseau m'appeler à travers la moustiquaire de la porte de derrière: «Viens jouer, Ida B. Vite, vite, dépêche-toi.» Il y avait trois endroits où je voulais me rendre, six choses que je tenais à faire et deux conversations que j'espérais avoir avant l'heure du dîner.

Maman lavait, Papa essuyait et je rangeais la vaisselle du déjeuner. Et je savais qu'à l'instant même où je mettrais la dernière poêle à sa place, je serais libre. Mais à les voir tous les deux papoter, rire et faire comme si l'on avait jusqu'à la Saint-Glinglin, je compris qu'on était loin d'avoir fini.

Ça me démangeait à l'intérieur et mes pieds commençaient à sautiller, chacun son tour, car cela faisait déjà dix minutes qu'ils attendaient le coup d'envoi. Alors je décidai d'accélérer un peu les choses.

Papa me passait un plat, je fonçais jusqu'au placard le ranger, je revenais à toute vitesse et tendais la main pour le suivant, mon pied droit, tap, tap, tapotant au rythme des secondes.

« Pas de panique, Ida B., me dit Papa. Tu auras tout le temps de faire ce que tu avais prévu. » Et il me passa une assiette, tout doucement.

Alors là, je demeurai clouée sur place. Car ce que Papa venait de dire lui semblait peut-être juste, mais pour moi une chose était sûre, c'est qu'il avait tout faux, et de loin. Pas la moindre petite cuillère ne serait rangée tant que je n'aurais pas mis les points sur les *i*.

« Papa, fis-je, marquant une pause pour qu'il me regarde avant que je ne poursuive.

– Oui, Ida B. », répondit-il en se tournant vers moi.

Et, le foudroyant du regard, je lançai : « Il n'y a jamais assez de temps pour s'amuser. »

Papa ouvrit tout grands les yeux et pendant une fraction de seconde je me demandai s'il n'allait pas m'arriver des bricoles. Mais les deux coins de sa bouche se retroussèrent, très légèrement.

« Ida B., dit-il au plafond en secouant la tête.

– Hmmmmmmmm », dit Maman, comme le son d'un sourire s'il en est un.

Dès que Papa me tendit la grande poêle, je la rangeai dans le tiroir sous le four, et me voilà partie.

« Viens, Rufus ! criai-je au chien de Papa, un vieux cabot

aux grandes oreilles pendantes qui faisait la sieste sous la table. Tu peux venir aussi, ça te fera un peu de compagnie. »

Il faut savoir que, quand ce chien dort, une colonie de poissons rouges pourrait nager dans la mare de bave qui dégouline de sa gueule. Dès qu'il entendit son nom et me vit me diriger vers la sortie, il se dressa d'un bond, lécha le trop-plein de bave de ses babines et en un clin d'œil il m'attendait sur le pas de la porte.

CHAPITRE 2

Avant de quitter la maison, je pris au passage un crayon et assez de papier pour faire quatre beaux dessins et un raté. Et dans la poche droite de mon pantalon, je fourrai un peu de ficelle pour attacher les morceaux de bois des radeaux que je construisais et larguais sur le ruisseau, avec à leur bord des petits mots qui disaient des choses comme :

C'est comment la vie au Canada ?
Répondre S.V.P.
Ida B. Applewood.
P.O. Box 42.
Lawson's Grove, Wisconsin 55500.

Ou :

Si ce radeau atteint l'océan,
Pouvez-vous nous en avertir ?
Merci beaucoup.
Fabrique de radeaux Applewood.
P.O. Box 42.
Lawson's Grove, Wisconsin 55500.

D'après moi, le ruisseau débouche sur l'un de ces deux endroits, mais je n'ai eu pour l'instant aucune réponse qui puisse le prouver. Ce que j'ai obtenu de mieux jusqu'à présent, c'est qu'un vieil homme du fin fond de Roaring Forks appelle Papa et Maman pour leur dire que j'envoyais des petits mots avec mon nom et mon adresse et qu'il faudrait peut-être m'en dissuader.

Et une institutrice de Myers Falls, le village voisin, a mis la main sur l'un de mes billets et a demandé à toute sa classe de faire des recherches sur le Canada. Des trucs ennuyeux du genre : « Il y a trente-deux millions d'habitants » ou « Le Canada exporte majoritairement du bois et de l'aluminium », et ils m'ont envoyé tous ces chiffres et ces informations dans une enveloppe.

Maman m'a fait écrire un mot de remerciement, alors j'ai dessiné un Mountie* canadien qui enlace la reine d'Angleterre, ils sont dans un tonneau en bois au-dessus des chutes du Niagara et agitent des feuilles d'érable en aluminium tout en poussant des cris de joie.

« Merci beaucoup pour les renseignements, j'ai écrit. Espérons qu'ils s'amusent aussi un peu au Canada. Amicalement, Ida B. Applewood. »

J'avais donc ma ficelle, mon papier, le chien de Papa et trois chewing-gums pour faire des bulles aussi grandes que mon visage tout en gardant mes distances avec Rufus, parce que la dernière fois qu'il s'en était approché, on s'était retrouvés à essayer d'enlever du chewing-gum rose de sa fourrure

* Membre de la police montée du Canada. (N.d.T.)

pendant presque un mois. Et je me dirigeai vers la pommeraie.

« Bonjour, Beulah. Bonjour, Charlie. Bonjour, Pastel », dis-je, énumérant quelques-uns des noms que j'avais donnés aux arbres. Tous les pommiers étaient en fleur et, quand on se tenait au milieu, on pouvait sentir leur beauté, mais pas au point d'en être écœuré.

J'étais déjà assise sous Henry VIII, planchant sur un dessin que j'avais commencé la veille. C'était la pommeraie après la récolte, avec des paniers de pommes sous chaque arbre. Il y avait Maman et Papa, moi, Lulu la chatte et Rufus, chacun perché dans son arbre, mangeant des parts de tarte aux pommes. J'étais en train de travailler sur Rufus, que je voulais couvert d'un mélange de bave et de miettes, Lulu lui lançant un regard empreint d'un extrême dégoût, lorsque je me rendis compte qu'aucun de ces arbres ne m'avait répondu.

Bon, certaines personnes m'arrêteraient peut-être net et me diraient : « Ida B., tu pourrais attendre jusqu'à la nuit des temps, jamais tu n'entendras parler l'un de ces arbres, et encore moins le ruisseau. Les arbres n'ont pas de bouche, ils ne parlent pas, et un petit tour chez le docteur pour une visite médicale complète serait peut-être d'actualité. »

Je prendrais alors une minute pour ne pas perdre ma patience et mon indulgence, afin d'éviter l'élan de grossièreté qui me brûlerait les lèvres, et je déclarerais : « Il y a plus d'une façon de se dire les choses, et aussi plus d'une façon de les écouter. Et si vous n'avez jamais entendu un arbre vous dire quelque chose, alors, à mon avis, vous ne savez pas encore vraiment écouter. Mais je serais ravie de vous donner un jour quelques tuyaux. »

Je laissai donc aux arbres une dernière chance de me répondre et criai : « J'ai dit bonjour, tout le monde ! Vous ne m'avez pas entendue ? »

Mais au lieu des « Salut » et autres « Ça va » habituellement lancés en chœur, seule Viola me dit : « Comment vas-tu aujourd'hui, Ida B. ?

– Je vais très bien en ce jour qui s'annonce plus que parfait, répondis-je. Que vous arrive-t-il ? Pourquoi êtes-vous tous tellement silencieux ? »

Mais ils restèrent muets. Même les plus bruyants. Et surtout les plus mal élevés.

« Eh, qu'est-ce qui se passe ? » hurlai-je.

J'entendis finalement Gertrude chuchoter : « Dis-lui, toi, Viola.

– D'accord », murmura Viola, très discrètement.

Viola ne laissa pourtant d'abord échapper que quelques « eh » et « hum ». « Bien…, commença-t-elle, eh… ahhh… hummmmm…, essaya-t-elle encore avant de se lancer enfin. Ida B., comment ça va à la maison ? Comment va ta fami… »

Mais avant qu'elle ne puisse finir sa phrase, ce voyou de Paulie T. l'interrompait. « Le bruit court que tu vas avoir des ennuis, Ida B. » Et si les arbres avaient pu s'illuminer d'un sourire malveillant comme une citrouille d'Halloween, c'est exactement ce que Paulie T. aurait fait à cet instant précis.

« Et qui est-ce qui t'a dit ça, Paulie T. ? demandai-je, car je ne lui faisais pas confiance pour un sou, et encore moins pour dire la vérité.

– Je ne révélerai pas mes sources, répliqua-t-il.

– Tu as entendu parler de quelque chose, Viola ? Et toi Béatrice ? Ou est-ce que Paulie T. brasse des feuilles pour rien ?

– Ida B., ne fais pas attention à lui, me dit Viola. Nous avons eu vent qu'un orage approchait et nous nous y préparions, en espérant que tout allait bien pour toi aussi. C'est tout.

– Il n'y a pas d'orage prévu aujourd'hui, répondis-je. Ne voyez-vous pas comme cette journée est merveilleuse ?

– Fais tout de même attention à toi, Ida B. », me conseilla Viola. Et ils restèrent tous plantés là, comme s'ils dormaient debout.

J'en eus alors assez de me sentir seule au milieu de cette foule-là, et puis j'étais fâchée que Paulie T. puisse se réjouir à mes dépens. « Bon, d'accord, je m'en vais m'amuser ailleurs », dis-je.

Mais aucun d'entre eux ne me répondit.

Lorsque Rufus et moi arrivâmes au ruisseau, je demandai sans détour : « As-tu entendu parler de moi et d'un ennui me concernant ?

– T'as amené les radeaux ? T'es prête à jouer ? Sors-les voir et monte-les qu'on puisse jouer, Ida B., dit le ruisseau, ignorant ma question.

– Une minute. Je veux d'abord savoir si tu es au courant d'un ennui qui me concernerait.

– Oh bon sang de bonsoir, regardez-moi ça, rétorqua le ruisseau. Mon rendez-vous, j'suis en retard, faut que j'y aille, Ida B. Je file, je file. Vaudrait mieux que tu t'adresses au vieil arbre, continua-t-il, tout en suivant son cours. Ouais, ouais, ça c'est une idée», cria-t-il en ricochant sur les galets avant de disparaître derrière la montagne.

Autant dire qu'à ce moment-là, toute la bande m'avait presque fait perdre patience. Mais parler avec le vieil arbre était un judicieux conseil, je pardonnai donc son insolence au ruisseau.

Rufus et moi escaladâmes la montagne – qui n'est pas une vraie montagne, mais « colline » est un mot bien trop riquiqui – jusqu'au vieil arbre qui n'a plus de feuilles et presque plus d'écorce. C'est un arbre nu et blanc que les gens croient mort, mais c'est faux ; il est juste vieux comme le monde. Il ne parle pour ainsi dire jamais et, même quand il parle, il faut souvent attendre un peu. Mais lorsqu'il se décide, il s'agit de ne pas en perdre une miette, car c'est la voix de la sagesse. Il dit toujours la vérité, à l'inverse de certains jeunes arbres qui vous disent ce qu'ils pensent que vous voulez entendre ou qui se croient vraiment trop malins.

Lorsque nous arrivâmes devant le vieil arbre, je lui dis : « Le bruit court que je vais avoir des ennuis. Bon, ça vient de Paulie T., et on sait bien toi et moi que la parole de Paulie T. ne vaut pas un clou. Mais je me demandais s'il n'y avait pas autre chose là-dessous ? »

Rufus s'installa au pied de l'arbre alors que je grimpais dans ses branches. Je reposai ma tête sur l'une d'entre elles et fermai les yeux, m'apprêtant à écouter de l'intérieur, car c'est ainsi qu'il faut faire avec cet arbre-ci.

Je demeurai assise là sans broncher un certain temps, ce qui ne me dérangeait pas du tout. La branche sur laquelle reposait mon visage était douce et chaude et me donnait encore et toujours cette impression d'une journée sans soucis. J'étais sur le point de croire que tout n'était que l'œuvre mal-intentionnée de Paulie T. quand soudain, je ressentis un froid intérieur et un sombre nuage voila mes paupières closes.

Je reçus un message, mais pas à l'aide de mots. Cet arbre vous apprend des choses, ces choses pénètrent votre cœur, puis trouvent leur chemin jusqu'à votre tête et une fois arrivées, elles se transforment en mots. Enfin c'est comme ça que ça marche, à mon avis. Aussi, s'il fallait que je traduise avec des mots ce que l'arbre me disait, voici ce que ça donnerait : « Des moments difficiles sont à prévoir. »

Alors là, j'ouvris brusquement les yeux pour ne plus avoir à regarder cette obscurité. Je bondis de l'arbre, atterrissant à deux doigts de Rufus l'Usine à bave, car le choc m'avait traversée de toutes parts.

« Quoi ? demandai-je, qu'est-ce que tu m'as dit ? »

Mais le vieil arbre n'a pas la parole facile et ne se répète jamais. Il resta planté là, tout comme les pommiers auparavant.

« Es-tu en train de me dire que Paulie T. a raison ? Je vais avoir des ennuis ? »

Mais je savais que je n'aurais pas de réponse.

Et en un jour tel que celui-ci, ensoleillé, avec quatre heures devant moi jusqu'au dîner et sept éléments sur ma liste des super-trucs-à-faire, je fis la seule chose sensée. Je conclus que le vieil arbre avait peut-être perdu certaines de ses facultés ces dernières années. Qu'il tombe d'accord avec Paulie T. prouvait bien qu'il y avait un problème. Mais je tins à me montrer respectueuse et à ne rien dire d'insultant.

« Merci bien de ton aide », criai-je alors que je courais déjà, dévalant la colline, sautant par-dessus le ruisseau et traversant la pommeraie, tout droit jusqu'à la maison. Je finis mes dessins dans ma chambre, à l'abri et hors d'atteinte, au cas où un orage s'abattrait vraiment.

Hormis un dîner comptant à la fois des fèves et des choux de Bruxelles, il n'arriva de fâcheux ni ce soir-là, ni le lendemain. On eut bien un orage, avec du tonnerre et des éclairs, quelques jours plus tard. C'était un vrai déluge dehors, les feuilles et les branches volaient dans tous les sens et Lulu s'était réfugiée sous le lit, faisant comme si elle n'avait pas peur mais portant un intérêt tout particulier aux moutons de poussière.

Et je crus que c'était là ce dont tous ces arbres avaient parlé. J'en conclus qu'il n'y avait plus aucune raison de se casser la tête avec ça.

CHAPITRE 3

« Idabéééé. » C'est ainsi que Maman et Papa et tous ceux qui me connaissent vraiment bien disent mon nom. Ma maman s'appelle Ida, et bien que nos deux noms soient presque identiques, mon papa les prononce très différemment.

En général lorsque Papa dit « Ida B. », c'est vif et souriant, un mouvement très rapide de haut en bas comme si on marquait la cadence d'une musique joyeuse.

Mais lorsqu'il dit « Ida », ce nom-là s'étend à l'infini, sans accroc ni détour. « Idaaaahh », dit-il, et son souffle traverse la pièce, entoure les épaules de Maman, puis sa taille, et se balade en enveloppant tout le monde au passage dans sa douce chaleur. On entend le son résonner dans sa tête bien après, et l'on sourit simplement parce que quelqu'un a prononcé le mot « Ida », qui n'est même pas le plus joli nom du monde.

Le seul moment où je suis autre chose qu'« Ida B. » à la maison, c'est lorsque je m'attire des ennuis. Si c'est le cas – et c'est déjà survenu en une ou deux occasions – et que mes parents m'appellent en hurlant, cela donne : « IDA B. APPLEWOOD », et mon nom est haché menu. « IDA... B... APPLEWOOD... Où es-tu ? Rentre à la maison tout de suite ! »

Alors, que je sois assise dans le vieil arbre sur la montagne ou en train de construire un barrage sur le ruisseau, je me dis : « Bon, ça, c'est moi. Je ferais bien d'y aller. »

Si je suis dans le verger, les pommiers les plus anciens me disent : « Ne tarde pas, Ida B. » ou bien « Allez, va voir ce que veut ton papa ».

Mais le ruisseau se laisse toujours aller à un tas de jérémiades : « Ne pars pas, Ida B., ne pars pas. Personne ne t'appelle et de toute façon ils peuvent attendre. Reste, Ida B. Reste un peu pour jouer. »

Je ne m'attire pas de gros ennuis. La plupart du temps ce sont juste de petites choses : c'était mon tour de ranger la vaisselle et j'ai oublié, ou j'ai donné les restes de ragoût aux pauvres animaux sauvages affamés du voisinage.

Une fois, j'ai fait une maison pour Lulu avec un tas de livres et de cartons. J'ai démarré au milieu du salon avec la plus grosse boîte qui faisait office d'appartements privés. Il y avait un batteur en guise d'antenne télé et un coussin du canapé en guise de lit, et j'ai découpé des fenêtres à l'aide du grand couteau tranchant. J'ai construit une bibliothèque, une salle de jeux et une salle à manger avec les autres cartons. J'ai enfin recouvert les tables et les chaises de draps et de couvertures, on aurait dit des tentes, pour que toutes ses amies-qu'elle-aura-le-jour-où-elle-sera-plus-aimable puissent venir lui rendre visite. C'est devenu si grand que ça s'étendait dans tout le salon, presque jusque dans le couloir.

Lulu était tellement heureuse qu'elle en a presque ronronné.

Mais Lulu a fini par s'ennuyer, elle est sortie et je l'ai suivie, et peu de temps après j'ai entendu: « IDA B. APPLEWOOD! » une fois près du ruisseau.

Alors je suis rentrée à la maison et j'ai tout remis en ordre. Mais c'était vraiment bien triste de devoir fermer la Mégalopole urbaine et Résidence exotique de Lulu et de ses amies à venir.

Une autre fois où j'ai semé la zizanie et ai rendu Maman et Papa plus inquiets que fâchés, c'est quand j'ai inventé le Masque de savon.

Bon, je ne vous apprends rien si je vous dis que chaque invention révolutionnaire et de renommée mondiale créée à ce jour n'est au départ qu'une solution à un problème donné. Et mon problème était le suivant: devoir se laver trop souvent, et surtout le visage.

Le matin au réveil, il fallait que je me lave le visage et les mains. Et avant de manger mon dîner ou d'aller au magasin ou de rendre une petite visite, il me fallait encore les laver. C'est presque comme si chaque fois que j'étais un tant soit peu enthousiaste et ne demandais qu'à vivre ma vie, il fallait que je m'arrête pour me laver. Et lorsque j'en avais fini, Dieu seul sait le nombre d'occasions que j'avais perdues.

Je pensais donc gagner un temps et une énergie considérables en trouvant le moyen de garder mon visage propre et le Masque de savon fut ma solution.

« Un impénétrable mur de désinfectant pour votre visage. » « Un bouclier qui repousse les bactéries tandis qu'il nettoie délicatement les pores et laisse votre peau d'une propreté irréprochable. » « L'ultime, l'éternelle, l'infinie propreté. » Autant d'accroches publicitaires que j'avais imaginées pour le lancement de ce produit qui se serait vendu par millions.

Je savais qu'un pain de savon ne conviendrait pas pour ce projet. Rien qu'en le mouillant pour s'en enduire le visage, on aurait obtenu une écume blanche donnant l'air tout bonnement ridicule. De plus, ça n'aurait pas été assez efficace. Je voulais une solution radicale.

Voici donc ce qu'il y avait de génial avec le liquide vaisselle : on l'étale très facilement et ça adhère bien à la peau ; il sèche à l'air libre ; il est très puissant ; il est antibactérien. Parfait.

Un soir après le dîner, j'emportai avec moi dans la salle de bains d'en haut une bouteille de notre plus puissant liquide vaisselle, je refermai la porte et m'étalai une fine couche du machin sur tout le visage. Puis je m'installai dans ma chambre et sentis le liquide se dessécher lentement, se resserrant de plus en plus, ne faisant qu'un avec ma peau, transformant mon visage en un repousse-crasse. Et je gardai le savon ainsi toute la nuit afin de laisser agir en profondeur ses vertus antivermine et antimicrobe.

Au matin, mon visage avait l'air récuré, comme si je l'avais nettoyé à la paille de fer. Il était rouge et luisant, les traits tirés. Ça me démangeait et me brûlait, quelque chose de terrible, mais je mis simplement ça sur le compte des superpouvoirs du Masque.

Je passai à table pour le petit déjeuner en faisant de grands sourires chaque fois que je disais « Le lait, s'il vous plaît » ou « Une serviette, s'il vous plaît ». Et j'attendis que Maman et Papa remarquent mon éclat.

C'est finalement après avoir demandé le lait à deux reprises alors que je n'en avais pas besoin que Maman et Papa me dévisagèrent tous les deux, la bouche grande ouverte. Et j'étais persuadée que leur stupeur et leur étonnement étaient dus à mon éclat étincelant.

« Evan, tu vois ce que je vois ? dit Maman. Elle passe du rouge vif au blanc, et vice-versa, comme une enseigne de néon.

– Je le vois bien, Ida », répondit Papa.

Puis tout alla si vite que je n'eus même pas le temps de dire un mot. Maman dit quelque chose à propos de la scarlatine, Papa surenchérit avec les oreillons et la varicelle, Maman appela le docteur, Papa m'enroula dans une couverture et m'installa dans la camionnette, et nous voilà partis pour la ville. Nous roulions dans un silence si pesant que cela ne me parut pas le bon moment pour discuter et encore moins pour parler de mon invention époustouflante et sans précédent.

Nous pûmes voir le docteur assez rapidement. Elle m'ausculta sous toutes les coutures puis me demanda : « Ida B., aurais-tu fait quelque chose à ton visage ? » Alors je lui racontai tout à propos du Masque de savon.

Elle m'écouta très attentivement et me dit : « Ida B., ta peau change de couleur et tu as l'impression que ton visage est en feu car le produit vaisselle l'a irritée. Nous allons donc la rincer, je vais te donner une lotion pour calmer les démangeaisons et elle redeviendra normale en un rien de temps. » Puis elle me fit un grand sourire et ajouta : « Mais plus de masque au liquide vaisselle, d'accord ? »

Bon, bien que cela n'ait peut-être pas fonctionné aussi bien que prévu, j'étais persuadée que le docteur me disait que le Masque de savon, sans le liquide vaisselle, était tout de même une excellente idée qui valait la peine d'être approfondie, ce qui était encourageant. Elle me disait aussi que ces flammes fulgurantes qui dévoraient mon visage de l'intérieur s'éteindraient rapidement grâce à une simple lotion.

« D'accord », dis-je. Je souris et me tournais vers Maman et Papa.

Jusque-là, ils avaient eu l'air très nerveux. Ils se tenaient la main et m'observaient fixement puis regardaient le docteur.

Mais tandis que le docteur me parlait, ils se transformèrent. D'abord Maman laissa échapper un grand soupir et Papa sourit en secouant la tête. Puis Papa me prit dans ses bras et dit « Oh ! Ida B. », et Maman nous enlaça tous les deux. Nous étions en train de célébrer là tout de suite un « Dieu merci Ida B. va bien » et il ne manquait plus que le gâteau et les cadeaux.

Après avoir fini de nous embrasser, d'embrasser le docteur et de serrer la main de la réceptionniste, nous montâmes dans la camionnette pour rentrer chez nous.

Mais avant que Papa ne démarre, Maman se tourna vers moi et déclara avec sérieux : « Ida B., une visite chez le docteur coûte cher, il faut donc toujours nous dire quand quelque chose va ou ne va pas, c'est bien compris ? »

J'ai froncé les sourcils en faisant de gros yeux comme

elle afin qu'elle sache que j'étais aussi très sérieuse. « Okay, Maman », dis-je.

Mais dans ma tête je me disais plutôt : si un enfant devait attendre pour parler que tous les adultes se calment et lui laissent un peu de place pour s'exprimer, les choses les plus importantes ne seraient jamais dites.

CHAPITRE 4

Certains soirs, lorsqu'il en avait fini avec son travail de la journée et qu'on avait bien dîné, que Rufus errait comme une âme en peine espérant un peu de compagnie et d'évasion et que les étoiles étaient toutes de sortie, scintillantes et si proches qu'on aurait pu les cueillir, Papa me disait: « Ida B., emmenons Rufus et allons observer le monde pendant qu'il dort.

– D'accord, Papa », lui répondais-je. Nous allions à travers les prés et le verger et aux alentours de la montagne et Rufus nous devançait, cherchant à fourrer sa truffe dans le plus d'endroits possible au cours d'une seule nuit sans se faire pincer, piquer ou arroser.

C'est alors que mon papa me dévoilait d'immuables et profondes vérités. J'essayais donc, dans la mesure de mes capacités, de me tenir tranquille et d'écouter.

Un soir que nous nous promenions, Papa respira profondément, le genre de souffle où l'on donne l'impression de sentir quelque chose en inspirant et de soupirer en expirant, ce qui signifie que d'importantes paroles vont être prononcées.

« Ida B., me dit-il, pour s'assurer que j'étais attentive.
– Oui, Papa, répondis-je pour bien le lui montrer.
– Je veux que tu réfléchisses à quelque chose.
– D'accord. »

Papa s'arrêta de marcher et je m'arrêtai moi aussi. Parce que lorsqu'on dit quelque chose d'immuable et de profond, on ne veut rien avoir à faire d'autre que parler, et on veut qu'écouter soit la seule chose que l'autre personne ait à faire. Nous regardâmes ensemble les prés, la montagne et le ciel devant nous. Et il commença.

« Ida B., un jour ces terres seront les tiennes.
– Oui, Papa.
– Et la loi te dira qu'elles t'appartiennent et que tu peux en faire ce que tu veux.
– Oui, Papa », dis-je encore, car je savais qu'il n'irait pas plus loin tant que je n'aurais pas parlé moi aussi. Comme à l'église quand le pasteur attend que vous disiez « Amen » avant de poursuivre son sermon.

« Mais je veux que tu te souviennes d'une chose : la terre ne nous appartient pas. Nous ne sommes que les gardiens de cette terre, Ida B. » Et là il inspira à nouveau profondément. « Je suis très reconnaissant d'avoir cette terre et reconnaissant que tu l'aies à ton tour. Mais elle ne nous appartient pas. Nous en prenons soin ainsi que de tout ce qui s'y trouve. Et lorsque nous en aurons fini, nous devrons la laisser en meilleur état que celui dans lequel nous l'avons trouvée. »

Il faut savoir que mon papa est un homme très intelligent. Et nous sommes pour ainsi dire d'accord le plus souvent, sauf quand il est question de l'heure du coucher ou de forcer ou non les enfants à manger certains aliments. Donc, bien que j'approuve la plupart de ses propos, je pensais qu'il voudrait peut-être reconsidérer l'une de ses idées. Et j'étais justement la personne capable de l'aider à le faire.

Mais quand Papa parla ainsi, je ne répondis pas tout de suite. Il avait l'air si grave lorsqu'il dit : « Nous ne sommes que les gardiens de cette terre, Ida B. », scrutant l'horizon et s'essuyant le front en hochant la tête. Je savais que j'allais devoir attendre un peu avant de le faire bénéficier de la Voix d'or et de Sagesse suprême d'Ida B. Nous marchâmes donc encore un moment.

Mais sur le chemin de la maison, en arrivant au verger, je dis : « Papa ?

– Oui, Ida B.

– Je crois bien qu'avec toutes les pommes du verger nous pourrions manger de la tarte chaque jour de la semaine et même en envoyer quelques-unes à la reine d'Angleterre.

– Hmmmm », fit Papa.

Je lui laissai quelques minutes pour y réfléchir.

Quand nous passâmes près du ruisseau je dis : « Papa ?

– Oui, Ida B.

– Parfois l'été je me mets à suer et à sentir si fort que Lulu siffle et me crache dessus lorsque je m'approche d'elle et même Rufus trouve le moyen de s'enfuir. Alors je viens ici et je m'allonge tout habillée dans le ruisseau. Je laisse sa fraîcheur m'envahir et je sens la puanteur s'envoler. Et tu sais Papa, c'est une sensation délicieuse. »

Papa esquissa juste un sourire.

Je lui accordai un instant pour qu'il se fasse à l'idée.

Lorsque nous arrivâmes aux abords des prés, la lune brillait d'un tel éclat que le sentier semblait rayonner. Comme si la lune nous montrait le chemin de la maison.

Je le pointai juste du doigt. Et Papa acquiesça comme s'il comprenait mon geste.

Une fois en route je dis, très doucement : « Papa.

– Oui, Ida B. »

Je m'arrêtai de marcher.

Quand Papa vit ce que je faisais, il fit de même et attendit.

« Je crois que la terre s'occupe de nous, elle aussi. »

Sur ce, Papa me regarda d'un air assez surpris. Il resta planté là un instant en se frottant le menton, pensif.

Il finit par sourire, approuva d'un signe de tête et se remit en route. Je lui emboîtai le pas quand il dit : « Je crois bien que tu as raison, Ida B. »

Et nous gardâmes le silence jusqu'à la maison, profitant simplement de la brise qui soufflait à travers les étoiles.

CHAPITRE 5

Voici ce que je prends chaque matin au petit déjeuner : des flocons d'avoine avec des raisins secs et du lait chaud, sans sucre. Même l'été. Surtout l'hiver.

De temps à autre Maman me demande : « Que dirais-tu d'un peu de changement, Ida B. ? »

Le plus souvent quand on se lève, il fait encore nuit dehors. Parfois, au petit déjeuner, je suis si fatiguée que j'arrive à peine à garder la tête droite. Et j'ouvre seulement les yeux pour m'assurer que les flocons d'avoine sont bien dans la cuillère et se dirigent bien vers ma bouche, mais je les referme quand je mâche. Je ne suis pas encore prête pour les grandes idées, ni les surprises.

Alors quand Maman me pose cette question je lui réponds : « Il est trop tôt pour les changements, Maman. »

Voici ce que je prends chaque jour au déjeuner : du beurre de cacahuète sur une tranche de pain, un verre de lait et une pomme, une McIntosh de préférence car elles ont un goût acidulé et une peau fine, ce qui me ressemble parfois, d'après Papa.

« Tu ne veux pas essayer quelque chose de nouveau, Ida B. ? » me dit Papa.

Bon, à l'heure du déjeuner je suis bel et bien réveillée, je me suis déjà débarrassée de mes corvées, de mes devoirs et j'ai déjà bien joué. J'ai toute une liste de choses que j'ai hâte de faire dans l'après-midi, ma tête déborde d'idées et de projets intéressants et je n'ai pas du tout envie que ça change.

« Il y a bien trop de choses dans le monde pour perdre son temps à penser au déjeuner, Papa », dis-je, et il me regarde alors comme si j'étais une véritable énigme.

Voici ce que je prends chaque soir au dîner : tout ce que Maman et Papa préparent, et en grande quantité. Sauf si ce sont des fèves ou des choux de Bruxelles.

Maman et Papa me demandent parfois : « Encore un peu, Ida B. ? »

Et le plus souvent je réponds : « Oui, s'il vous plaî-aî-aît. » Surtout s'il s'agit du dessert.

Sinon, au dîner, nous discutons de la journée passée et de ce que nous voulons faire le lendemain et ils me posent des questions du genre : « Où est le verbe dans la phrase suivante : Maman servit avec réticence une autre part de tarte aux pommes à Ida B. ? » ou « Ida B., peux-tu nous épeler "chahuteur" et l'utiliser dans une phrase ? »

Et je réponds. Sauf, bien entendu, si j'ai la bouche pleine.

Bon, avoir ce type de discussions au dîner peut paraître un peu étrange, car j'ai déjà mangé chez d'autres personnes et elles ne se posent pas des questions comme : « Quelle est la planète la plus proche du soleil, ma chérie, et pourrais-tu me passer les pommes de terre s'il te plaît ? » Et cela la bouche pleine ou non.

La raison pour laquelle nous parlons ainsi est que jusqu'à l'année dernière j'avais école à la maison. Ce qui voulait dire que je me réveillais le matin avec Maman et Papa pour aider aux tâches quotidiennes. Ensuite, Maman et moi étudions les mathématiques et les sciences : la table de huit ou les différentes parties des plantes ou « Ida B., si je te donne vingt dollars pour aller au magasin acheter de la farine... »

Et avant même qu'elle puisse aller plus loin je disais : « Quel magasin ?

– Ça n'a pas d'importance.

– J'y vais à pied ? Non, parce que je crois c'est un peu trop loin pour moi si je dois marcher jusqu'au magasin du village et rapporter un gros sac de farine. »

Elle fronçait alors les sourcils et disait : « Oh, Ida B. laisse-moi terminer », comme si je la poussais vraiment à bout.

Mais je ne lui cassais pas les pieds exprès. C'est juste qu'elle me racontait une histoire qui me concernait et je voulais savoir de quoi il retournait réellement afin d'élaborer un plan. Car je dois vous dire encore une chose à mon sujet : je crois qu'un bon plan est la meilleure façon de s'amuser à fond, d'éviter les désastres et d'éventuellement sauver le monde. Et je passe un temps fou à en élaborer.

Donc Maman disait : « On recommence au début. La mère de Billy Rivers lui donne vingt dollars pour aller au magasin...

– C'est qui, Billy Rivers ?

– Personne. On fait comme si.

– Alors il pourrait pas être une fille au lieu d'un garçon ? Et on pourrait pas l'appeler Delilah ? Et elle pourrait porter des lunettes vertes à paillettes…

– Ida B. !

– Okay, bon, on continue. »

Elle me donnait le reste de l'énoncé, je notais les chiffres sur un papier et je trouvais la bonne réponse quatre-vingt-dix-neuf fois sur cent. Maman disait : « C'est du bon travail, Ida B., quand tu t'y mets. »

Plus tard dans l'après-midi, Papa et moi nous installions dans le grand fauteuil pour lire et écrire des histoires. Mais la majeure partie du temps, on vivait normalement, parlant de choses et d'autres et puis on recréait le système solaire avec des légumes. Ou bien Maman, arrivée à la caisse, me faisait calculer la monnaie qu'on lui devait, et je répondais : « Sept dollars et quatre-vingt-six cents.

– Elle est très intelligente », disait la caissière à ma mère.

Et Maman répondait : « Hmmm… » avec un sourire en coin.

Cela signifiait aussi que l'on faisait des recherches et que l'on discutait des pierres de la vallée et de la montagne, qui se trouvaient ici depuis si longtemps et qui changeaient si lentement et qui étaient là bien avant nous et demeureraient bien après. Alors lorsque je posais ma joue sur la grosse pierre saillante de la montagne et sentais sa chaleur me parcourir le corps, j'écoutais attentivement pour capturer sa voix. Quand finalement je la distinguais, elle ressemblait à un bourdonnement doux et grave qui n'en finit jamais. Et tous les trucs que j'avais appris sur les pierres tombaient alors sous le sens, dans ma tête et au plus profond de moi.

Avoir école à la maison signifiait que je n'avais pas besoin d'être serrée comme une sardine dans un vieux bus puant ou de me retrouver assise toute la journée sans bouger dans une pièce qui sentait le renfermé. Maman me faisait passer un examen chaque fin d'année et tous les ans je le réussissais super-haut-la-main. Et je pouvais alors rester dans mon endroit préféré : aux côtés de Maman et Papa, de Rufus et Lulu, aux côtés des arbres et des montagnes et des serpents et des oiseaux. Chaque jour et pour toujours.

Cela me semblait être le meilleur plan du monde.

CHAPITRE 6

Quand j'avais eu cinq ans, j'étais allée à l'école pendant deux semaines et trois jours. J'étais chez les petits dans la classe de Mlle Myers, à l'école élémentaire Ernest B. Lawson.

Mlle Myers avait le visage encadré de jolies boucles brunes et faisait presque toujours un petit sourire mi-triste, mi-gai, avec le coin des lèvres qui se relèvent mais où les yeux paraissent remplis de tristesse.

Le premier jour de classe, elle se tint dans l'embrasure de la porte et dit « Bonjour » à chacun lorsque nous entrâmes dans la pièce. Elle nous demanda de trouver une place autour du grand cercle dessiné sur le sol. Ce que je fis.

Une fois tout le monde assis, elle prit une chaise et s'installa dans le cercle : « Bonjour les enfants. Je suis Mlle Myers, votre maîtresse. La première chose que j'ai à faire est d'apprendre vos noms. Donc quand je dirai votre nom, veuillez lever la main et répondre "Présent", c'est d'accord ? »

Nous fîmes tous un signe de tête affirmatif.

Emma Aaronson qui, lorsqu'elle est à l'église, remue ses

lèvres comme si elle chantait, qu'elle connaisse ou non la chanson, était la première de la liste.

« Présente, dit Emma.

– Bonjour Emma », répondit Mlle Myers.

Et Emma retourna un « Bonjour » sans tarder.

« Ida Applewood » était le nom suivant, et Mlle Myers regarda autour d'elle pour savoir qui cela pouvait bien être.

« Présente », dis-je, mais je ne levai la main qu'à moitié car ce n'était qu'une partie de mon nom.

« Bonjour, Ida », dit Mlle Myers en souriant et elle se mit à la recherche du nom suivant sur la liste.

Mais avant qu'elle ne m'échappe je lui dis, afin d'être bien claire dès le début : « C'est Ida B. »

Mlle Myers leva les yeux vers moi, les sourcils froncés. « Pardon ?

– C'est Ida B., répétai-je. Je m'appelle Ida B. »

Elle examina sa liste à nouveau avec un air de profonde réflexion et un certain mécontentement. Mais après quelques secondes, un regard illumina son visage, ce regard empreint d'une joie calme et assurée qu'ont les gens lorsqu'ils se rendent compte qu'ils ont raison et que ça les démange de vous le faire savoir.

« Bon, Ida, me dit-elle, je sais qu'à la maison, ta famille t'a peut-être donné un surnom comme "Ida B.". Et chez toi, c'est très bien comme ça. Mais, dans cette classe, nous allons utiliser vos prénoms et non vos surnoms. » Puis elle considéra le cercle autour d'elle avec ce même sourire mi-triste, mi-gai. « Est-ce que tout le monde a bien compris ? »

Et en retour, tous les enfants hochèrent la tête en lui souriant, sauf moi.

« Bien, poursuivons », dit-elle.

« Samuel Barton » était le suivant, mais je m'étais arrêtée à « Ida Applewood », et j'y restai tout au long de la liste de noms et de « Bonjour ».

Car partout dans le monde où nous étions allés, Ida Applewood, c'était Maman. Et toutes les fois où j'avais été avec des gens un peu plus longtemps que le temps qu'il faut pour connaître quelqu'un, j'étais Ida B.

Je me demandais et m'inquiétais donc de savoir comment j'allais me souvenir de lever la tête ou de répondre « Oui m'dame » chaque fois que Mlle Myers dirait « Ida », lorsqu'un problème bien plus important me vint à l'esprit.

Je réalisai qu'avoir ce nouveau nom qui n'était pas le mien ne durerait pas juste le temps de cette journée ni même de cette année, mais ce serait peut-être mon nom-pas-pour-de-vrai-et-pas-moi-du-tout-mais-c'est-comme-ça-et-pas-autrement pour le restant de mes jours d'école. Et, je le savais, ça signifiait un nombre de jours incalculables en tant qu'Ida et pas Ida B. Autant de jours dans la peau d'Ida risquait de me faire oublier ce que c'était d'être Ida B.

Et, avec cette pensée, je fus envahie d'un mauvais pressentiment qui démarra dans mon estomac et s'empara de mes jambes, de mes bras et finit dans mes orteils, mes doigts et même ma langue. Comme si tout se resserrait et se rétrécissait et se comprimait pour tenir dans un tout petit, petit espace.

Je jetai un coup d'œil par la fenêtre et je vis tout ce soleil, cet air frais et cet espace et j'aurais juré entendre le ruisseau m'appeler, au loin et à travers les fenêtres fermées. « Rentre à la maison et viens jouer, Ida B. J't'attends. Allez, viens, viens, viens. »

Je fus prise d'une irrésistible envie de quitter la pièce, de sortir et de laisser cette voix me guider jusqu'à la maison. Mais ce matin même j'avais promis neuf fois à Maman que je serais sage et que je suivrais les instructions. Je restai donc assise à ma place dans le cercle avec mes mains sur les genoux.

Mais je ne pouvais m'empêcher de penser que cela n'avait rien à voir avec ce que Maman et Papa m'avaient dit à propos de l'école, et j'étais persuadée que ce n'était pas bon signe.

Dans la classe, il y avait un lapin dans une cage, mais on ne pouvait le caresser que quand c'était le moment. Il y avait des livres sur les étagères, mais on ne pouvait les lire que quand c'était le moment. Il y avait une grande cour de récréation avec des toboggans, des balançoires et des ballons, mais on ne pouvait y jouer que quand c'était le moment. Il y avait plein d'enfants, mais on ne pouvait leur parler que quand-vous-savez.

« Mademoiselle Myers, demandai-je finalement, c'est quand le "moment" ?

– Pardon ?

– C'est quand le "moment" pour faire tous les trucs amusants ?

– Eh bien, Ida, dit-elle, chaque chose en son temps. Je te dirai quand le moment sera venu pour chacune d'elles.

Pourquoi ne pas te détendre un peu et apprécier la journée ? »

Même lorsque j'étais petite j'aimais élaborer des plans. Je voulais savoir ce qui m'attendait afin d'éviter autant que possible les mauvaises choses et me préparer pour les bonnes.

« Pourriez-vous me le dire maintenant pour que je me fasse un emploi du temps ? » demandai-je.

En bien moins d'une seconde, Mlle Myers était debout devant moi. Ses lèvres étaient pincées et ses mains posées sur ses hanches ; j'avais déjà remarqué cette attitude chez d'autres adultes et ça n'avait jamais rien annoncé de bon.

« Ida, me dit-elle, tu peux me faire confiance. Nous discuterons d'un emploi du temps quand ce sera le moment. »

Et nous y revoilà, encore les mêmes mots. À cet instant je me suis demandé si je n'étais pas dans une classe pour les enfants méchants qui avaient besoin d'être remis dans le droit chemin et ma punition comprenait la perte de mon nom et l'interdiction formelle d'élaborer des plans. Mais Emma Aaronson était aussi dans cette classe, et elle était toujours-et-encore-sage-comme-une-image.

Je sentais monter en moi une flopée de grossièretés des plus déplaisantes qui luttaient pour s'échapper de ma bouche. Mais, alors que Maman me conduisait à l'école, je lui avais aussi promis sept fois que je serais polie.

« Oui m'dame, » dis-je finalement les dents serrées, ce qui empêchait les grossièretés de sortir.

Je fis ensuite un emploi du temps pour le reste de la journée avec la seule information dont j'étais certaine : comment serait l'horloge lorsqu'il serait l'heure de rentrer à la maison.

Je n'arrêtais pas de regarder le cadran au-dessus de la porte, observant la petite aiguille se rapprocher de plus en plus du trois, jusqu'à ce que la cloche sonne la fin des cours.

Maman m'attendait aux abords du parking en cette fin de journée, affichant un sourire radieux.

La vraie Ida B. aurait alors souri et se serait lancée à sa rencontre. Ida B. aurait sauté dans la camionnette et aurait rebondi cinq fois sur le siège en exposant ses plans pour l'après-midi qui lui prendraient tant de temps qu'elle ne pourrait pas s'acquitter de toutes ses corvées, et elle aurait gardé son front collé à la vitre pendant tout le trajet tant elle était pressée d'arriver.

Mais j'avais été Ida toute la journée. La Ida de Mlle Myers, qui restait assise sans bouger, se tenait sagement dans les rangs, gardait ses distances et ne s'amusait pas l'ombre d'un instant. Je me sentais raide et fatiguée et coincée dans un corps trop petit avec un nom trop petit. Alors je marchai lentement et à petits pas vers Maman.

Quand j'arrivai finalement à sa hauteur, je m'arrêtai, levai les yeux vers elle et dis : « Maman, ça n'ira pas.

– Qu'est-ce qui n'ira pas, Ida B. ? » demanda-t-elle.

Et lorsqu'elle prononça mon nom ce fut comme si je me retrouvais pour la première fois de la journée. Je sentais mon corps picoter et se détendre, comme s'il se réveillait.

« Trop de règles et pas assez de temps pour s'amuser, lui dis-je.

– Bon, répondit-elle, grimpe et tu pourras tout m'expliquer en route. »

Je sautai mollement dans la camionnette. Et sur le chemin de la maison, je racontai ma journée à Maman : les jolies boucles de Mlle Myers et son sourire mi-triste, mi-gai, l'emploi-du-temps-invisible-où-les-enfants-n'ont-pas-le-droit-tant-que-ce-n'est-pas-le-moment, les choses merveilleuses qui nous entourent et qu'on ne peut pas toucher et dont on ne peut pas profiter, et surtout le fait que Mlle Myers refuse d'utiliser mon vrai nom. Cela me prit presque tout le temps du retour pour tout déballer.

Quand j'eus fini, Maman réfléchit un instant. Puis elle dit : « Ida B., cela me paraît avoir été une rude journée. Mais il y a toujours beaucoup à faire le premier jour, et les premiers jours sont habituellement les moins amusants. Je suis sûre que ça ira mieux demain. »

Lorsque nous nous arrêtâmes au bout de l'allée, je fixai Maman du regard et lui dis : « J'en doute fort. »

Mais elle me regarda à son tour et insista : « Donne-toi encore une chance, ma chérie. »

Et ce fut si bon de rentrer à la maison, avec Rufus qui aboyait et courait en rond, du truc baveux giclant de sa gueule dans tous les sens au point qu'on aurait eu besoin d'un parapluie rien que pour atteindre la maison, et les pommes presque mûres qu'on sentait dans l'air et Maman qui me souriait, si confiante.

Alors je dis : « D'accord, Maman. »

Mais voici ce que je pensais au fond de moi : bien que j'espère vraiment que tu as raison, cet endroit ne m'inspire malheureusement rien de bon.

CHAPITRE 7

Comme je m'en étais doutée, les choses ne s'arrangèrent pas. Pire encore, elles s'aggravèrent. Car non seulement nous étions soumis à toutes ces règles qui nous interdisaient de nous parler et de nous toucher, mais nous étions censés les suivre un peu mieux chaque jour. Et chaque jour, quand l'école était finie, il me fallait de plus en plus de temps pour redevenir moi-même.

« Combien de jours reste-t-il jusqu'au dernier jour d'école ? demandais-je à Maman lorsque nous étions dans la camionnette.

– Je ne sais pas, Ida B. Pourquoi ?

– J'ai juste besoin de savoir. »

« Combien de jours me reste-t-il pour en avoir fini avec l'école à tout jamais ? » étaient les seuls mots que je parvenais à articuler au dîner.

« Ça ne peut pas être aussi grave, Ida B. », disait Papa.

Et je ne répondais rien. C'est vous dire à quel point je n'avais pas le moral.

Chaque soir après le dîner, j'allais m'allonger dans le verger jusqu'à ce qu'on me dise de rentrer.

« Que t'arrive-t-il, Ida B. ? me demandait Viola.

– Rien, lui répondais-je, car je n'avais plus la force de rien du tout, ni même de me plaindre.

– Comment ça va à l'école, Ida B. ? » J'entendais Paulie T. ricaner, car dès le début c'était déjà un vrai voyou.

Mais même Paulie T. ne parvenait pas à rendre les choses pires qu'elles ne l'étaient.

Bref, j'avais l'air si triste et si abattue que Maman voulut voir ce qui se passait exactement dans la classe de Mlle Myers. La troisième semaine, elle m'accompagna donc à l'école et y demeura toute une journée. Bien qu'il fût comme toujours question de file indienne, sans se toucher, sans se parler et chacun son tour, c'était mieux avec Maman.

L'école semblait toutefois avoir le même effet sur elle que sur moi, car à la fin de la journée, nous marchâmes toutes les deux vers la camionnette d'un pas raide et lent et nous gardâmes le silence pendant tout le trajet du retour.

Une fois à la maison, Maman dit : « Occupe-toi jusqu'au dîner.

– D'accord », dis-je, car je savais qu'il se mijotait quelque chose et qu'il valait mieux se tenir tranquille.

Je m'assis sous le porche et la vis retrouver Papa dans le pré où ils restèrent à discuter pendant un certain temps.

Le lendemain matin, nous étions tous assis pour le petit déjeuner et j'étais prête à me servir quand Maman dit : « Ida B., Papa et moi avons besoin de te parler de l'école. »

D'un coup, mon estomac se referma comme un piège.

Je baissai les yeux, scrutant tous ces petits raisins qui paraissaient jadis si joyeux, sautillant comme s'ils nageaient, mais qui à présent avaient l'air de se noyer dans un océan de lait.

« Regarde-moi, Ida B. », dit-elle. Ce que je fis. « Dès lundi, tu iras à l'école ici, à la maison, et Papa et moi allons nous-mêmes être tes professeurs. Nous allons devoir nous informer pour faire ça correctement. Mais nous estimons que jusqu'ici nous t'avons appris presque tout ce que tu avais besoin de savoir et tu t'en sors très bien. Nous allons donc faire un essai. »

Quelle tête est-ce que je faisais à cet instant précis ? Je devais être en train de sourire, mais je ne sentais ni ma tête ni mon corps. Je ne faisais qu'entendre encore et encore les paroles de Maman, et je flottais de plus en plus haut, et il y avait de la musique et des anges qui chantaient : « Ida B. est libre, Ida B. est libre. Envole-toi avec moi, Ida B. »

Mais avant que je puisse m'envoler vers la voûte éthérée, une pensée accablante me rappela sur Terre. Tout cela semble trop beau pour être vrai, dit cette voix dans ma tête qui, le jour de Noël, voit tous les cadeaux et sait que certains paquets au bel emballage ne contiennent que des chaussettes et des culottes.

« C'est pas possible, Maman, lui dis-je, voulant la croire mais n'osant encore espérer pour l'instant.

– Ne crois pas que cela va être facile, Ida B., poursuivit-elle. Il te faudra apprendre à lire et à compter, comme dans une école normale. Il y aura des contrôles et beaucoup de travail, et il faudra faire ce que Papa et moi te demanderons. Si nous n'arrivons pas à suivre et faire ce qu'il faut, tu devras retourner apprendre à l'école, est-ce bien clair ? »

Maman me regardait comme si j'étais là devant elle, mais je décollais une fois de plus. Car je savais qu'aussi longtemps que je serais avec Maman et Papa et que je serais proche de la montagne et du verger et du ruisseau, tout irait pour le mieux. Tant que je pouvais être Ida B., tout irait bien.

« Pour de vrai ? m'entendis-je demander, et je flottais déjà vers le plafond.

– Pour de vrai, si tu fais ce qu'on attend de toi, dit Maman.

– Pas de problème », rétorquai-je. Mais je planais déjà dans les nuages et je ne sais pas si elle m'entendit.

Les quatre années qui suivirent se déroulèrent ainsi et furent encore plus belles que belles. Je restai à la maison et appris des choses et m'amusai encore plus qu'un chaton avec vingt pelotes de laine et trois fausses souris. Je commençai même à croire que rien ne me renverrait jamais dans ce lieu de torture lente mais inévitable qui étrique-les-corps, abrutit-l'esprit et tue-la-fête.

Et je dirais que ce fut là une grossière erreur.

CHAPITRE 8

Le matin, je suis comme un serpent au printemps : j'ai besoin de m'étendre sur une pierre chaude et de laisser le soleil m'imprégner un moment avant de m'agiter et de démarrer la journée. Mais Maman et Papa ne sont pas du tout comme ça. Ils sont comme des oiseaux : ils se réveillent avant le jour et chantent et virevoltent dès qu'ils ont ouvert les yeux.

Pourtant, le matin du troisième jour qui suivit la mise en garde à-laquelle-il-ne-fallait-surtout-pas-se-fier de ce voyou peu crédible de Paulie T. – que j'allais avoir des ennuis –, il n'y eut aucun des gazouillis et papillonnages habituels de Maman et Papa.

Ce jour-là, certaines choses ne sortirent pas de l'ordinaire. J'étais réveillée, mais à peine. Les seules choses qui bougeaient étaient mon bras droit et ma bouche. Prends les flocons d'avoine, mets-les dans ta bouche et mâche, mâche, mâche… Prends les flocons d'avoine, mets-les dans ta bouche et mâche, mâche, mâche… C'était là l'unique message émis par mon cerveau qui fonctionnait vraiment au ralenti.

Mais soudain, mon cerveau accéléra et atteignit sa vitesse de croisière, comme jamais il ne l'avait fait à six heures du matin, et ça n'avait rien à voir avec ce que Maman et Papa faisaient ou disaient. C'était à cause de leur silence et de leur inertie, et mon cerveau savait que c'était inhabituel et tout simplement étrange. Je ressentis des picotements dans la colonne vertébrale, un drôle de goût dans la bouche et en un rien de temps j'étais complètement réveillée, les regardant tous les deux de l'autre côté de la table.

Maman ne parlait pas et ne mangeait pas. Elle était juste assise là, jouant avec sa nourriture, ce qui est strictement interdit.

Papa ne mangeait pas non plus. Il fixait son assiette.

Puis Papa demanda, très bas : « Alors tu vas appeler le docteur et prendre un rendez-vous aujourd'hui ?

– Oui », lui dit-elle.

Maman sourit à Papa trop joyeusement, trop rapidement : « Il n'y a probablement rien à craindre, Evan. »

Papa posa sa main sur la sienne et répondit : « Je sais. » Mais il ne leva pas les yeux vers elle. Il ne quitta pas du regard le bout des doigts de Maman qui pointaient sous sa grande main.

Il y avait un silence dans cette cuisine comme jamais je n'en avais entendu auparavant, comme si le monde entier s'était arrêté. Et je savais que si je sortais à cet instant précis, il n'y aurait pas un souffle de vent, les plantes auraient cessé de pousser et le soleil se serait figé dans le ciel.

« Qu'est-ce qui se passe ? Qu'est-ce qui n'est rien ? » dis-je en criant presque, parce qu'il fallait bien que quelqu'un fasse assez de bruit pour remettre les choses en marche et bien à leur place comme il faut.

Maman et Papa me dévisagèrent comme si j'étais une surprise.

« Ce n'est rien, tu n'as pas de souci à te faire, ma chérie », répondit finalement Maman. Et Papa regarda par la fenêtre.

« Qu'est-ce qui n'est rien ? » répétai-je, parce que ce genre de réponse signifie d'habitude qu'il y a vraiment de quoi s'inquiéter mais pas grand-chose à faire. « Pourquoi vous êtes tristes ? Qu'est-ce qui se passe ? »

Mais Maman murmura juste d'une voix lente et morne comme le vent un jour de pluie : « Oh, Ida B. »

Puis elle se leva, débarrassa son assiette et voilà.

L'inconvénient d'être un serpent au printemps c'est que, parfois, vous pensez avoir trouvé le meilleur endroit au monde pour lézarder au soleil, la plus grosse pierre qui ait jamais existé, si longue que vous n'en voyez pas le bout. Et cette pierre si-parfaite-que-vous-n'y-croyez-pas est douce et sombre et chaude comme du bon pain. Vous glissez vers cette obscurité chaude et douillette et vous êtes bientôt si à l'aise et si satisfait couché là que vous vous endormez, étendu de tout votre long, en ronflant, même. Vous êtes persuadé d'avoir atteint le paradis des serpents.

Mais parce que vous êtes un serpent, vous êtes au ras du sol et vous ne voyez pas que cette pierre paradisiaque sur laquelle vous êtes allongé est en réalité une route. Vous êtes si confortablement installé et vous dormez si profondément que vous n'entendez pas le supergros camion chargé de deux tonnes de tomates qui se rapproche de plus en plus.

Et comme ça, sans prévenir – splich, splouch, et quelques crac en plus –, vous vous retrouvez avec des marques de pneus à chaque extrémité. Vous ne savez pas exactement ce qui vous est arrivé mais d'un seul coup vous avez bel et bien quitté ce monde.

J'ai donc appris que, même lorsqu'on se croit au paradis, il faut rester vigilant et avoir un plan.

Mais il y a parfois des choses très difficiles à planifier.

CHAPITRE 9

Maman avait une grosseur. Et à l'intérieur de cette grosseur, il y avait du cancer.

C'était le rien du tout qui n'était pas rien, mais ça ne semblait pas un énorme-truc-terrible au départ. C'était plus un truc comme un chat dans la gorge : il faut l'enlever parce que ça ne devrait pas être là et si on le garde trop longtemps on aura vraiment du mal à parler. On va donc chez le docteur, elle l'enlève en un rien de temps et bientôt on a même oublié ce que ça faisait d'avoir la gorge prise, sèche et irritée. J'ai cru que ça allait se passer comme ça avec la grosseur.

Mais ça ne s'est pas passé comme ça pour Maman. Elle est d'abord allée chez le docteur. Puis elle a eu besoin d'aller à l'hôpital pour subir une opération. Après ça, le cancer n'était pas juste dans la grosseur, mais aussi sous son bras. Et les docteurs espéraient qu'ils avaient réussi à tout enlever, mais ils n'en étaient pas vraiment certains.

Le cancer était comme des bêtes dans un arbre : un jour on ne les voit pas du tout et le lendemain elles sont partout en train de manger les feuilles et les fruits. Et ça ne sert à rien de les trouver et de les écraser une à une. Il faut employer les grands moyens.

Alors Maman est allée à l'hôpital pour des traitements et quand elle rentrait à la maison, elle était si fatiguée qu'elle avait même du mal à dire : « Bonjour, mon bébé. »

Ensuite, elle allait dans sa chambre s'allonger sur son lit. Si vous vous absentiez une heure environ, à votre retour elle n'avait pas bougé : sur le dos, les yeux fermés, le visage blanc comme un linge, les mains agrippées au couvre-lit.

Je m'installais à son chevet et lui caressais la joue. « Uhhhhhh », gémissait-elle quand mes doigts frôlaient sa peau encore plus légèrement que lorsqu'on câline un bébé chaton. J'arrêtais donc de la toucher, mais je lui demandais si elle voulait que je lui fasse la lecture.

« Non merci, ma puce », disait-elle, ses lèvres bougeant à peine.

Voulait-elle que Lulu lui rende visite ?

« Plus tard peut-être. »

Voulait-elle m'entendre épeler « guilleret » ?

« Pas maintenant, chérie. »

« Maman, chuchotai-je une fois, après un long silence.

– Hmmmm, murmura -t-elle, comme si elle me répondait d'un rêve.

– Tu vas mourir ? » lui demandai-je si doucement que je pouvais à peine m'entendre.

Maman ouvrit les yeux et tourna la tête vers moi. « Ida B., dit-elle en me regardant plus gravement qu'elle ne l'avait jamais fait.

– Oui, Maman, répondis-je, mais je n'arrivais pas à

soutenir son regard, alors je fixai les bosses sur le couvre-lit.
– Je serai toujours auprès de toi, me dit-elle. Toujours. »
Puis elle tourna son visage vers le plafond, ferma les yeux et ajouta : « Tu comprends, mon ange ? »
Et je dis : « Oui, Maman », même si ce n'était pas le cas.
Puis je restai assise à ses côtés pour la regarder respirer et m'assurer que son ventre se levait puis redescendait.

Les cheveux de Maman se mirent à tomber, laissant de grosses touffes sur son oreiller, et j'allais dans sa chambre pour les ramasser lorsqu'elle quittait brièvement la pièce. Je les mis dans le sac à objets divers et variés pour plans indéterminés, mais il n'y avait rien d'autre dedans que les cheveux de Maman. Je gardais le sac sous mon oreiller, et si j'y enfonçais la main en fermant les yeux, je pouvais faire comme si je flottais dans un nuage de Maman.

Après chaque traitement de Maman, notre maison devenait aussi silencieuse qu'une bibliothèque remplie d'adultes. Comme s'il y avait un « Chuuut » ininterrompu qui imposait le silence dans chaque pièce à tout instant.

On ne se regardait plus dans les yeux. Papa baissait les yeux, je baissais les yeux, et même Rufus baissait les yeux. Mais pas Lulu. Elle nous jetait des regards furieux avec l'air de dire : « Je ne sais pas ce qui se passe ici, mais moi j'aimerais avoir mes croquettes illico. »

Nous posions nos assiettes avec une telle délicatesse dans l'évier. Nous tirions les chaises de la table avec un tel soin. Nous marchions si doucement. Je ne sais pas si nous évitions de réveiller Maman ou si nous évitions de réveiller le cancer.

Quand nous avions un moment, Papa et moi nous asseyions ensemble dans le grand fauteuil, assez proches l'un de l'autre pour entendre nos chuchotements et lire des histoires. Et c'étaient là les seuls bons moments passés à la maison. Ensuite, Papa allait voir si Maman voulait de la soupe, ou bien des biscuits peut-être.

« Veux-tu manger quelque chose, Ida ? » disait-il depuis le pas de la porte de leur chambre, et sa voix était aussi douce que la fourrure d'un lapin, aussi légère qu'un nuage de fumée. Elle flottait jusqu'à elle pour lui caresser la joue, puis le front, sans jamais insister.

Et la plupart du temps Maman murmurait : « Non merci, chéri. » Mais parfois elle disait juste « Evan », d'une voix d'amour perdue à des milliers de kilomètres.

Maman poursuivait son traitement mais les choses empiraient.

Pourtant, petit à petit, elle commença à aller mieux et elle redevint presque ma maman.

Elle se remit à manger et à travailler un peu avec Papa et à me demander : « Ida B., s'il faut deux tasses et demie de farine pour faire une tarte et que tu fais deux tartes par semaine pendant un an à l'exception de la semaine de Noël où tu en fais cinq, de combien de tasses de farine as-tu besoin ?

– Seulement deux par semaine, Maman ? lui demandais-je. Ça ne pourrait pas être trois ? » Et elle me faisait presque un sourire, comme avant.

Mais bientôt trois semaines se seraient écoulées et viendrait à nouveau le moment pour un traitement. Toute la joie de retour à la maison et qui s'était crue à l'abri devait faire demi-tour et s'en retourner d'où elle venait. Même l'éclat dans les yeux de Maman s'évanouissait, et je ne le retrouvais plus quel que soit le temps que je passais à la regarder.

Alors, quand personne ne prêtait attention, j'allais dans ma chambre, je fermais la porte et je m'asseyais par terre derrière mon lit pour pleurer et pleurer – pour Maman et Papa et moi, et pour tout cet amour qui ne semblait qu'un pur gâchis puisqu'il ne parvenait même pas à guérir Maman.

CHAPITRE 10

Un jour au mois d'août, la maison et mon cœur se sentaient si sombres et si moroses que je décidai de tenter le coup et de parler une fois de plus avec le vieil arbre. Je laissai Rufus à la maison avec Maman, escaladai la montagne jusqu'au sommet, grimpai dans l'arbre et m'assis au même endroit que d'habitude.

« Je ne suis pas là pour me plaindre ni pour pleurnicher, mais Maman n'est plus Maman et Papa n'est plus Papa et ils me manquent et la vie que nous avions me manque aussi et je me sens si seule », dis-je à l'arbre.

Je fermai les yeux et posai mon visage sur la branche douce et chaude à côté de moi. Je me sentais encore plus fatiguée que fatiguée, si bien que je me réjouissais simplement à l'idée de demeurer assise là un bon moment.

Le soleil chauffait mon dos et le vent frôlait mon visage comme les doigts d'une main. Soudain, le duvet sur mes bras et sur ma nuque se dressa et me picota : je savais très bien ce que cela annonçait.

Et j'entendis cette voix qui n'en était pas une mais que

l'on perçoit quand même, mais pas avec les oreilles. Il faut l'entendre de l'intérieur.

Lente comme le sommeil, calme comme la nuit, elle chuchota : « Tout ira bien. »

Et ce fut tout.

Il y eut comme une boule de chaleur dans mon ventre et la chaleur m'envahit, m'irradiant de l'intérieur vers l'extérieur. Chaque parcelle de mon corps s'apaisa, se réchauffa et reprit confiance et j'oubliai tout, sauf ce sentiment de confiance.

Mais bientôt, la part en moi qui se méfie des choses qui sont trop belles trop rapidement se rappela tous ces ennuis et cette tristesse qui étaient survenus à la maison. Et le sentiment doux et chaleureux disparut d'un coup.

J'ouvris les yeux, me relevai et demandai à haute voix : « Tu es sûr de ce que tu dis ? "Bien", pour toi, ça veut dire quoi exactement ? »

Mais voilà, avec le vieil arbre, on a déjà de la chance si on arrive à lui soutirer quelque chose et, si c'est le cas, il ne faut pas en redemander.

Je restai donc assise là pour rassembler un peu mes esprits. Et au bout d'un moment je me souvins de ce que j'avais entendu et de ce que ça m'avait fait, et là je sus.

Je descendis de l'arbre et une fois au sol, je m'appuyai contre le tronc, je collai mon visage tout contre sa vieille écorce blanche et je dis : « Merci. »

Puis je redescendis de la montagne vers la maison. Ne me sentant pas moins seule mais un peu plus pleine d'espoir.

Quelques jours plus tard, à l'heure du dîner, Papa dit en

présence de Maman : « Ida B., Maman va suivre un nouveau traitement qui la fera moins souffrir après coup. Ta maman va bientôt aller mieux.

– Evan, intervint Maman sur-le-champ, regardant Papa avec fermeté. Rien n'est encore sûr », lui dit-elle, mais son visage se radoucit en parlant. Quand elle eut fini, elle posa sa main sur celle de Papa.

Puis elle se tourna vers moi. « Mon bébé, nous *espérons* que cela ira mieux. Je vais suivre pendant quelque temps un traitement toutes les semaines, mais les médicaments seront moins forts. Je serai a priori moins malade et moins fatiguée. Mais cela reste à voir. »

Hormis le « nous espérons » et le « cela reste à voir » , je trouvais que ces nouvelles valaient bien une superfête. Des nouvelles dignes d'une tarte-aux-pommes-avec-une-boule-de-glace.

Mon sourire était si grand que je sentais les deux coins de ma bouche remonter jusqu'à mes yeux. Mais Maman et Papa affichaient simplement de petits sourires, ceux où la bouche ne se retrousse qu'à moitié. Je n'arrivais pas à comprendre pourquoi on n'allait pas directement au dessert sans passer par le plat.

« Ça c'est des bonnes nouvelles, non ?

– Ce sont de bonnes nouvelles, Ida B., dit Maman.

– Alors où est le problème ? Pourquoi on ne fête pas ça ? » demandai-je.

Mais je n'obtins que cette bonne vieille réponse : « Oh, Ida B. », qui ne m'apprenait rien de nouveau sauf qu'il valait mieux que je m'arrête là, car je n'allais rien apprendre de plus.

Et j'étais reconnaissante de ce demi-bonheur dans une maison qui avait été si pleine de tristesse, donc je laissai tomber.

Le ruisseau, comme vous le savez, est bien plus bavard que le vieil arbre. Je dirais même que c'est une pipelette.

Le lendemain, je courus jusqu'au ruisseau et avant qu'il ne puisse se répandre, je lui annonçai : « Hé, Maman va se rétablir et bientôt tout redeviendra comme avant. »

Mais le ruisseau demeura muet.

Je lui dis à nouveau, plus fort encore : « J'ai dit, Maman se rétablit et on va bientôt pouvoir s'amuser ! »

Toujours rien.

J'enlevai mes chaussures et sautai dans l'eau à pieds joints en éclaboussant pour attirer son attention. « Hé, t'as entendu ce que j'ai dit ? criai-je. Maman va mieux et les choses ici vont redevenir presque parfaites très bientôt ! »

Je restai sans bouger pour l'écouter, complètement gelée, mouillée et dégoulinante.

Au bout d'une minute, j'étais sur le point d'abandonner quand j'entendis le ruisseau répondre, plus triste et calme que jamais : « Ce n'est pas encore fini. »

Et c'est tout ce qu'il dit.

CHAPITRE 11

Papa dut vendre une partie du verger et de nos terrains pour payer les frais médicaux de Maman. Un jour de septembre, il m'amena dans la grange, m'installa à côté de Rufus et m'en parla. « Ce sont deux lots qui se trouvent à l'autre bout de la vallée, Ida B. », dit-il.

J'y réfléchis.

« Mais ça fait partie du verger. C'est Alice et Harry et Bernice et Jacques Cousteau, lui dis-je, au cas où il ne s'était pas rendu compte de qui il s'agissait.

– Ida B., dit-il comme s'il s'était préparé, on ne discute pas. C'est comme ça et pas autrement.

– Que vont-ils faire du terrain ? demandai-je.

– Y construire des maisons, j'imagine.

– Et que feront-ils des arbres ?

– Ils vont les abattre, j'imagine.

– Oh non, Papa ! Non ! » En un rien de temps je pleurais, sanglotais et hurlais tout à la fois. « On ne peut pas vendre autre chose ?

– Non, Ida B.

– On ne peut pas changer les arbres de place ?
– Non, Ida B.
– Rufus et moi trouverons un travail !
– Non, Ida B. ! » La voix de Papa devint plus ferme et plus forte. « Et c'est comme ça ! »
Je dois avouer qu'à ce moment-là j'étais loin de m'être calmée. « Et le ruisseau et la montagne et le reste de la vallée ? Ils ne vont pas avoir le droit d'y construire, ou d'y jouer ou d'y faire autre chose, hein ? »
« Eh bien, dit Papa, le ruisseau, la montagne et le reste de la vallée ne seront pas sur leur propriété mais j'aimerais que nous soyons amicaux et que nous partagions ce que nous avons.
– Non, Papa ! Non ! » hurlai-je et je croisai les bras en secouant la tête de droite à gauche avec les yeux fermés, mes couettes claquant au vent comme des fouets. J'espérais que l'une d'elles atteindrait Papa et lui giflerait le visage.
Papa me laissa ainsi pendant un certain temps. Je commençais à avoir le tournis, mais je n'allais pas lui donner la chance de me voir arrêter.
« Ida B., il y a autre chose », dit-il.
Autre chose ? Cela me fit cesser tout claquement de couettes en un clin d'œil. Mais que pouvait-il bien y avoir d'autre ? Il fallait que je me sépare de Lulu ? Maman était quand même en train de mourir ? Je cessai de bouger, mes yeux exorbités à dix centimètres de mon visage, et j'essayai tant bien que mal de savoir ce qui allait encore pouvoir sortir de la bouche de Papa.
« Je ne peux pas m'occuper tout seul à la fois de la ferme

et de ta scolarité. Et ta mère est trop fatiguée pour m'aider pour l'instant. Tu vas donc devoir retourner à l'école. Dès lundi. Je sais que c'est très difficile, Ida B., continua-t-il, et je suppose qu'il pensait que, s'il continuait de parler, il pourrait couper court aux cris et aux pleurs qui étaient sur le point de m'échapper à tout moment, mais c'est comme ça, et pas autrement. Il faut que tu continues d'apprendre des choses, ta Maman doit se reposer et se rétablir et je dois m'occuper de la ferme. »

Mais pour vous dire mon état de choc, je ne criai pas, je ne hurlai pas, je ne dis pas un mot.

L'intérieur de ma tête commença à tourner et d'un coup tout se mit à basculer et tourbillonner autour de moi. Je vérifiai si mes pieds étaient toujours à même le sol, car j'avais l'impression de tomber dans un trou qui venait tout juste de s'ouvrir sous moi. J'avais mal au cœur et j'étais persuadée que mon déjeuner allait repasser par la case départ quand mon cerveau se souvint de la seule chose qui pouvait encore me sauver.

« Maman ne te laissera pas faire, dis-je en essayant de fixer mon regard sur le tourbillon flou qu'était mon papa.

– Ida B., ta maman est d'accord avec moi, répondit-il. Nous n'avons pas le choix. »

Alors tout s'assombrit. Mon corps était toujours assis au même endroit et mes yeux étaient grands ouverts, mais le véritable moi qui ressent les événements et discute et élabore des plans et sait certaines choses sans l'ombre d'un doute s'était instantanément rétréci, flétri et il s'enfuit se cacher au plus profond de moi. Je ne voyais que du noir, n'entendais qu'un bourdonnement et ne sentais que le vide qui m'entourait.

Je ne sais pas combien de temps je restai assise ainsi, mais cela me parut des années et des années de solitude, blottie et cachée dans le noir.

J'entendais Papa qui m'appelait, il semblait à des milliers de kilomètres. « Ida B. ! » disait-il sans relâche et, même si je ne voulais pas l'entendre, je ne pouvais faire autrement. Plus j'écoutais, plus sa voix montait, jusqu'au moment où je risquai un coup d'œil, toujours cachée à l'intérieur de moi, comme si je venais de me réveiller. Il était là, juste en face de moi, ses yeux dans les miens, et il prononçait mon nom d'un air à la fois triste et effrayé.

Et je me remis à pleurer, Papa planté là disant : « Tout va bien, Ida B. Tout va bien se passer, ce qui ne faisait qu'empirer les choses.

– Papa, bredouillai-je finalement entre deux sanglots.

– Oui, Ida B.

– S'il te plaît, ne me renvoie pas à l'école.

– Ida B., tu dois y aller.

– Mais Papa, je n'ai pas besoin d'aller à l'école, suppliai-je. Je... je me ferai moi-même les leçons. J'utiliserai les livres et je me ferai moi-même les leçons, je te promets. Je, je... » J'étais prête à apprendre par cœur toutes les informations ennuyeuses sur le Canada ou n'importe quel autre pays de son choix dans l'hémisphère Nord ou l'hémisphère Sud.

« Tu as besoin de voir d'autres enfants, au lieu d'être ici à broyer du noir toute la journée. » Tout signe de sympathie ou de tristesse s'était évanoui et la voix de Papa se faisait de plus en plus forte et ferme, il ne cédait pas.

« Je ne veux pas voir d'autres enfants. Je veux juste toi et Maman et rester ici. S'il te plaît Papa. S'il te plaît. »

Bon, je reconnais qu'à ce stade je n'étais pas seulement en train de supplier avec des mots. J'étais à genoux sur le sol les poings serrés et tendus vers lui comme les gens qu'on voit sur les photos et qui implorent pitié. Mais Papa était sans pitié.

« Ida B., ça suffit ! » cria-t-il et le son de sa voix remplit toute la grange. Dès que Papa se mit à crier, ma voix replongea au fond de ma gorge et mon corps entier se figea. Rufus eut si peur qu'il bondit d'un coup, comme frappé par la foudre. Il sortit en trombe de la grange et détala avant même que les mots de Papa aient fini de résonner.

Même Papa avait l'air surpris. Il ouvrit grands les yeux puis les referma. Il posa ses mains sur son front et les laissa là un instant, puis il les fit glisser sur son crâne jusqu'à ce qu'elles se retrouvent et s'agrippent dans sa nuque. Il laissa échapper un long soupir comme s'il retenait sa respiration depuis des lustres et le calme revint dans la grange.

Les yeux fermés et la tête baissée, Papa dit au plancher : « Maman est malade, je suis très occupé et tu iras à l'école lundi. C'est comme ça et pas autrement. »

Puis il tourna les talons, sortit de la grange et regagna les prés comme si de rien n'était.

CHAPITRE 12

Après le départ de Papa, je souffrais atrocement, comme si chaque partie de moi avait été hachée et déchiquetée. Mais c'était mon cœur qui me faisait le plus mal.

Je ne pus rien faire d'autre que me recroqueviller sur le sol de la grange et rester étendue là à pleurer. De ces larmes qui vous brûlent les yeux et de ces sanglots qui vous secouent jusqu'à vous déchirer la poitrine. Et lorsque les sanglots furent épuisés, les larmes persistèrent, je demeurai donc là allongée la bouche grande ouverte, presque sans faire de bruit. Si ce n'est l'air que j'inspirais et le lourd souffle de tristesse que j'expirais.

Mais alors que je pleurais, mon cœur était en train de se transformer. Il devenait de plus en plus petit dans ma poitrine et aussi dur qu'une pierre. Plus mon cœur devenait petit et dur, moins je pleurais, jusqu'à ce que finalement, je m'arrête complètement.

Lorsque j'eus fini, mon cœur n'était plus qu'une pierre noire et acérée et assez petite pour tenir dans la paume de ma main. Il était si dur que personne ne pourrait le casser et si acéré qu'il blesserait le premier qui le toucherait.

Je restai là un long moment à fixer le néant, quasiment vidée de tout.

Puis mon nouveau cœur prit une résolution. Car lorsque votre cœur change, vous changez, et il faut alors élaborer de nouveaux plans. Cette résolution était pour la nouvelle moi, la nouvelle Ida B.

D'accord Papa, pensai-je, je ferai ce que tu me dis de faire. Je retournerai à l'école élémentaire Ernest B. Lawson. Mais je n'aimerai pas l'école. Je n'aimerai pas les gens qui ont acheté les terres, je n'aimerai pas ma maîtresse, ni les enfants dans ma classe, ni le trajet en bus. Et je ne t'aimerai pas toi, ni Maman.

Je décidai que je ferais tout mon possible, sans aller jusqu'à tuer ou démembrer quelqu'un, pour lutter contre la folie qui s'était emparée de ma famille et avait envahi ma vallée. Je manigancerais un plan et ils regretteraient, tous autant qu'ils étaient, d'avoir eu affaire à Ida B.

Je sentais la dureté de mon cœur se propager dans mes bras et mes jambes et ma tête et c'était parfait. J'allais gagner.

Ce soir-là, je grimpai au sommet de la montagne et me plantai devant le vieil arbre nu et blanc. « Merci beaucoup pour tes paroles sages et bienveillantes de l'autre jour, dis-je, mielleuse comme du sirop d'érable. Je les ai vraiment prises à cœur, je dois dire.

« Ouais, poursuivis-je, comme de la mélasse, du miel et du sucre roux tout mélangés, je t'avoue que je me suis sentie beaucoup mieux après notre petite conversation. Je m'attendais même à de grandes et belles choses, merci de m'avoir rassurée. » Je continuai à sourire pendant une petite minute pour donner à l'arbre la possibilité de croire mes paroles.

Puis je hurlai « Espèce de vieil arbre stupide ! » et de toutes mes forces je lui flanquai un coup dans le tronc à m'en arracher le pied mais je ne pleurnichai même pas. Je redescendis de la montagne en boitant et me mis au lit sans dire bonne nuit à personne.

Et ce fut la dernière fois que j'écoutai quelqu'un ou quelque chose d'autre que moi et mon nouveau cœur, et cela pour longtemps.

CHAPITRE 13

Tout alla très vite après ça. Le dimanche soir, je préparai mes vêtements pour le lendemain matin : un jean noir, un tee-shirt noir et des chaussettes noires. Et si j'avais eu une culotte noire, je l'aurais portée aussi. Papa me prépara mon déjeuner et Maman me demanda si demain je voulais mettre des rubans dans mes cheveux.

« Non merci », dis-je sans même la regarder, car je n'allais pas me faire jolie pour être jetée la tête la première dans le donjon des sacrifices et des supplices éternels. Mais ça, je ne le dis pas.

J'allai me coucher et, après quelques minutes, Maman frappa à ma porte et demanda : « Je peux entrer ?

– Okay », lui dis-je.

Elle s'assit sur le bord de mon lit et me regarda simplement un moment, mais je fixais le plafond comme si je voyais là-haut quelque chose de la plus haute importance. Elle se pencha vers moi, posa sa main sur ma tête et passa ses doigts dans mes cheveux. Je décidai de ne pas apprécier ce sentiment précis à ce moment précis.

Mon cœur détourna mon attention en me rappelant encore et encore : « Elle n'a pas tenu parole. Elle était d'accord avec Papa. Ils te renvoient là-bas. » Et le tour était joué.

Soudain, je sentis un plic ploc sur mon haut de pyjama, et une tache humide se forma au milieu de ma poitrine. Je regardai Maman, elle avait de grosses larmes qui coulaient le long de ses joues et s'écrasaient sur moi.

« Je suis désolée, Ida B. », dit-elle.

Et en dépit de mon cœur de pierre et de sa résolution, je sentis une boule de tristesse remonter de ma poitrine jusque dans ma gorge. Sans crier gare, une marée de larmes s'était réintroduite dans ma tête alors que mon nouveau cœur était occupé ailleurs et elle faisait pression derrière mes yeux.

Mais j'en avais fini de pleurer, surtout devant Maman et Papa. Mon nouveau cœur dit à la tristesse et aux larmes : « Non, vous ne sortirez pas ! Retournez d'où vous venez ! »

Mais la tristesse est un adversaire de taille, peut-être même plus difficile à contenir que la joie, et ce fut un vrai combat. J'avais mal à la gorge et j'avais l'impression que mes yeux allaient exploser, pourtant je ne cessais de lui dire : « Non ! Non ! Non ! » et je la sentis enfin battre en retraite, petit à petit.

Je dois avouer que même après avoir pris la décision de ne plus aimer Maman, c'était difficile de la voir triste. Une part de moi voulait lui venir en aide. Mais je savais que si je prononçais un seul mot ou la touchais ou faisais le moindre mouvement, toute la tristesse en moi saisirait cette occasion pour remonter à la surface une fois de plus et se déverser, et on ne pourrait plus l'arrêter. On s'y perdrait à jamais.

Je ne fis donc que la regarder.

Elle se pencha finalement sur moi et m'embrassa et dit : « Bonne nuit, mon bébé », avant de s'en aller.

CHAPITRE 14

« Le bus s'arrête au bout de l'allée à sept heures trente précises, Ida B., dit Papa le lendemain matin au petit déjeuner, bien qu'il me l'ait déjà répété trois fois la veille.

– Humm », répondis-je. Cela ressemblait plus à un grognement qu'à un consentement, mais pas au point de me faire gronder.

« Ida B... », commença Maman à deux reprises, mais elle n'acheva jamais sa phrase. Et je laissai filer.

Après le petit déjeuner, je me brossai les dents, pris mon sac, marchai jusqu'à l'arrêt de bus et attendis. Je sortis bien avant l'heure pour éviter de parler à Maman et à Papa, pour ne pas avoir à entendre quelque chose qui ressemblerait à : « Tout va bien se passer. »

Il pleuvait et le vent soufflait, mais je laissai fermé dans mon sac le parapluie que Maman m'avait donné. La pluie éclaboussait mes jambes et mitraillait mon visage et mes yeux à faire mal ; j'étais ravie car cela me mit encore plus en colère et me rendit encore plus déterminée pour atteindre le summum du désagréable d'ici mon arrivée à l'école. Et lorsque le bus s'arrêta, je montai à bord sans même me retourner pour voir si Maman me faisait un signe de la main de la fenêtre ou si Papa m'observait de la grange.

« Bonjour, dit le chauffeur de bus joyeux et souriant.

– 'jour », rétorquai-je d'une voix d'acier : plate, dure et froide.

Je grimpai les marches et fis une pause au début de l'allée centrale, plissant les yeux afin d'avoir l'air aussi méchante à l'extérieur qu'à l'intérieur. Mais quand on plisse les yeux, tout devient flou, si bien que tous dans le bus ressemblaient à des inconnus flous. Je n'avais envie d'en connaître aucun de toute façon. J'avançai ainsi dans l'allée, ne voyant personne, cherchant juste une place.

Presque à mi-chemin, je trouvai un siège pour moi toute seule. Je restai pendant tout le trajet assise là les yeux plissés et rivés comme des lasers au dossier du siège devant moi, ma bouche prête à grogner, mes mains telles des griffes aiguisées agrippées à mon sac posé sur mes genoux, ne pensant à rien sauf : « Je déteste ça », encore et encore.

Dix autres enfants montèrent dans le bus avant qu'il parvienne à l'école, mais personne ne s'assit à côté de moi. Je devais irradier une méchanceté perfide de la pire espèce. Comme s'il y avait eu un nuage noir d'air fétide et repoussant autour de moi qui éloignait tous ceux qui tenteraient d'y pénétrer, sous peine de subir les pires sévices ou d'insoutenables souffrances.

Arrivés à l'école, nous descendîmes du bus un par un et nous nous dirigeâmes vers le bâtiment tous ensemble. Puis je suivis les panneaux jusqu'au secrétariat et me plantai devant un grand comptoir en bois.

« Puis-je t'aider ? » demanda une dame qui m'aurait semblé gentille si j'avais voulu croire que quelqu'un ici puisse l'être, et si j'avais pu en fait la voir, puisque mes yeux étaient toujours plissés.

« Je suis Ida Applewood, répondis-je.

– Bien, Ida Applewood, que puis-je pour toi ? »

Même avec ma vision brouillée je devinais qu'elle souriait. On le devinait rien qu'au son de sa voix. Je détestais ça.

« Je suis nouvelle, dis-je, et l'on devinait bien au son de ma voix que sa joie ne m'avait pas infectée.

– Voyons voir où est ta place. »

« Ma place est à la maison », aurait voulu dire ma tête avant que mon cœur de pierre n'ait l'occasion de la faire taire. Soudain, je pouvais voir ma maison, la respirer, la sentir et elle me manqua, quelque chose de terrible. Mais avant de bredouiller et de tout lui déballer, mon cœur m'arrêta net. Il me rappela que, si ma place n'était pas à l'école élémentaire Ernest B. Lawson, elle n'était pas à la maison non plus. Ce qui me remit en colère.

« Nous y voilà, dit-elle, comme si elle m'annonçait quelque chose d'agréable. Tu es dans la classe de Mlle Washington. La salle 130. Maintenant, pour te rendre là-bas, poursuivit-elle, tu sors par cette porte, tu tournes à gauche et c'est la troisième porte sur ta droite. Il y aura "Mlle Washington, classe de CM1", inscrit sur la porte. Tu y arriveras ?

– Oui m'dame », répondis-je avec juste une pincée de méchanceté dans la voix.

Car à cet instant précis, alors que je m'engageais dans le couloir vers les oubliettes de la mortelle monotonie qui m'attendait sans aucun doute dans la salle de classe 130 de cette école, je fus prise d'un sentiment de grande détresse. J'avais besoin de m'en libérer un peu avant que cela n'atteigne de dangereux sommets et n'explose hors de moi sous forme d'une ignoble perfidie qui se déchaînerait sur les premiers venus, dont les innocents enfants de l'école.

« Passe une bonne journée, Ida ! » lança la femme depuis son bureau.

Mais je ne répondis rien. Moins j'en disais, mieux c'était, pensai-je, et cela valait pour tout le monde.

CHAPITRE 15

Je m'arrêtai une minute sur le seuil de la classe 130, juste pour me mettre en condition comme le font les soldats avant une bataille : évaluer le potentiel de l'ennemi, élaborer un plan, s'armer et attaquer.

Certains enfants étaient encore en train d'accrocher leur manteau. Ils parlaient entre eux, sortaient leurs livres et faisaient des bruits heureux. Dehors, le soleil pointait et brillait à travers les vitres. Il y avait des arcs-en-ciel et des images et des mots géants de toutes les couleurs accrochés aux tableaux d'affichage. Il y avait même un beau tapis au fond de la classe où ne se trouvait aucun bureau, seulement des étagères remplies de livres qui ressemblaient à de vrais livres et non à des livres scolaires. Il ne manquait plus que les rouges-gorges et leur musique joyeuse.

Et ça devait être Mlle Washington, me dis-je, assise sur une chaise pour enfant une main sous le menton, écoutant une fillette qui se tortillait les mains et parlait en même temps.

Je voyais bien que c'était un endroit plein de chaleur. Pas au sens propre de la température de la pièce, mais un endroit chaleureux-tout-plein. Une part de moi le savait mais mon cœur refusait de le sentir.

Je continuai donc à tout observer, faisant une liste de chaque chose dans ma tête afin de l'utiliser si besoin pour mon plan qui consistait à demeurer inconnue, non investie et non intéressée.

« Eh bien bonjour », me dit une voix douce et amicale. Je regardai d'où venait la voix et je vis Mlle Washington qui me fixait droit dans les yeux et se dirigeait directement vers moi. Cette femme ressemblait à un camion : massive, puissante, déterminée. Mais elle se déplaçait sans bruit et avec aisance, comme un très luxueux modèle.

« Es-tu Ida ? » demanda-t-elle, souriante, en s'avançant. Et j'étais si étonnée de sa présence, de sa voix, de sa taille et du fait de la sentir même à dix mètres de moi que je me figeai un instant. Quand je repris mes esprits, je ne réussis qu'à hocher la tête.

« Bienvenue, Ida. Je suis Mlle Washington », dit-elle et elle tendit la main pour serrer la mienne.

Je lui donnai ma main non pas parce que je le voulais mais parce que je n'avais pas toute ma tête. Mlle Washington était loin de ce que j'avais imaginé et cela avait faussé mon évaluation de l'ennemi ainsi que mon plan, mais pas pour longtemps. Je regardai ma main monter et descendre comme une pompe à eau.

« Pourquoi n'enlèverais-tu pas ton manteau pour l'accrocher et je te ferais visiter les lieux ? » dit-elle.

Je me dirigeai donc vers les vestiaires et le temps de la rejoindre, je m'étais remise en condition d'attaque.

« Écoutez, tout le monde, voici Ida Applewood, et elle va être dans notre classe à partir d'aujourd'hui », annonça Mlle Washington aux enfants qui se trouvaient dans la pièce.

« Salut Ida », entonnèrent-ils tous en chœur.

Je restai plantée là et leur fit le salut-d'une-main-qui-va-de-gauche-à-droite-de-la-pauvre-Miss-Amérique-au-regard-vide.

« Pourquoi ne donneriez-vous pas chacun votre nom à Ida ainsi qu'une information sur vous-même ? » suggéra Mlle Washington.

Il y avait une fille qui s'appelait Patricia qui avait une chemise à paillettes, des ongles à paillettes et aussi des barrettes à paillettes et qui dit que sa meilleure amie était Simone. Il y avait un garçon qui s'appelait Calvin qui me dit que le truc qu'il préférait au monde c'était les devoirs et il conclut en faisant un énorme sourire à Mlle Washington. Et il y avait une fille qui s'appelait Claire qui dit qu'elle aimait lire, jouer avec ses amis et partir en voyage avec sa famille et qu'elle me ferait visiter les environs si je le souhaitais.

Il y avait aussi tout un tas d'autres enfants et ils souriaient tous comme s'ils étaient contents de me rencontrer et contents d'être là, et je fis tout ce qui était en mon pouvoir pour les regarder et être polie.

« Bande de minables, je voulais leur dire, et c'est un langage qui n'est pas dans mes habitudes. Vous ne connaissez rien à rien. Mais moi je connais la chanson. »

« Ida, est-ce le nom que tu utilises ou y a-t-il un surnom que tu préfères ? » j'entendis Mlle Washington me demander.

Bon, je savais que Mlle Washington s'adressait à moi,

mais je n'en revenais pas qu'elle me pose cette question en particulier. C'était comme si elle essayait de me dire que les péripéties avec Mlle Myers n'étaient qu'un mauvais rêve, que cette classe joyeuse et pleine de vie était bien la véritable école, que demain il pleuvrait aussi des pièces d'or.

Elle avait l'air si sincère et attentionnée que j'avais presque envie de la croire. Mais je ne le fis pas ; et je ne le ferais pas avant des millions d'années.

« Non. Juste Ida, dis-je.

– Y a-t-il quelque chose que tu aimerais nous dire à ton propos ? » poursuivit-elle.

Bon, il y avait bien des choses qui s'impatientaient sur le bout de ma langue et que j'aurais voulu partager. Mais je décidai rapidement que dire : « Je déteste l'école et tout ce qui va avec. Et en devenant élève dans cette classe, je m'attends vraiment à ce que toute ma vivacité soit totalement anéantie d'ici à la fin de la semaine », et cela le premier jour de retour à l'école élémentaire Ernest B. Lawson, n'était probablement pas le meilleur des plans, bien qu'il soit le plus honnête.

« Non m'dame, dis-je tout simplement.

– Très bien, répondit Mlle Washington un peu déçue, mais sans trop insister. Alors commençons. »

Et ce ne fut pas mal. Pas bien, mais pas non plus l'expérience la plus terrible, la plus atroce ni la plus douloureuse que j'aie eu à subir.

Personne ne m'embêta ni ne me taquina. Ils me souriaient et je les regardais droit dans les yeux, le visage passif, comme s'ils n'étaient même pas vraiment là, ce qui est une technique très efficace pour mettre les gens mal à l'aise et s'assurer que l'on n'aura aucun ami.

Je fis les exercices, me mis dans les rangs, suivis les instructions, répondis lorsqu'on m'interrogeait, parlai seulement lorsque c'était mon tour et tout se passa bien. Mieux que si j'avais été enterrée dans une fourmilière avec un boa constrictor autour du cou et des fèves plein la bouche.

Nous sortîmes pendant la récréation. Je m'assis sur les marches de l'entrée de derrière, posai le menton sur mes genoux et contemplai le néant devant moi.

L'une des filles de ma classe, celle qui s'appelait Claire, accourut, s'arrêta devant moi et demanda : « Tu veux jouer avec nous, Ida ?

– Non, répondis-je sans même y réfléchir, car c'était là mon plan : pas d'amis, pas de jeux, pas de sourires, pas de joie.

– Okay », dit-elle en retour, avec un air surpris et peut-être même blessé, et elle tourna les talons.

Et je me sentis un peu coupable de n'avoir même pas essayé d'être gentille. Mais j'étais sûre d'avoir raison. Car voilà : comment courir et jouer quand on a l'impression qu'une tristesse d'une extrême lourdeur pèse sur votre corps comme des briques ? Comment fait-on pour rire et parler quand on n'a plus de rire à l'intérieur ?

J'étais assise sur ces marches en béton depuis si longtemps que mon derrière était engourdi quand Mlle Washington vint s'asseoir à côté de moi, si près que je sentais la chaleur émaner d'elle. Je sentais aussi sur elle l'odeur du beurre de cacahuète et des fleurs d'été.

« Comment ça va, Ida ? » s'enquit-elle, comme si de rien n'était, regardant droit devant elle, comme moi.

– Ça va.

– Tu as envie de parler de quelque chose ? » demanda-t-elle.

Je répondis, fidèle à moi-même : « Non, m'dame.

– Bien, dit-elle, quand tu auras envie de discuter, je serai là pour t'écouter. » Il me semble bien que cette remarque est en cinquième position sur la liste des hits-des-trucs-les-plus-idiots-que-les-adultes-peuvent-dire et pourtant, Mlle Washington ne parut pas si idiote en la prononçant.

Mlle Washington me laissa une minute pour m'attendrir et céder, car elle n'était pas au courant pour mon cœur et sa résolution et elle ne savait pas qu'elle avait affaire à une volonté tenace et intraitable.

« On se retrouve en classe, alors », dit-elle finalement, après un long silence. Et en se levant, elle me toucha le bras. Juste assez pour que je le sente encore après son départ, mais pas au point de me déranger.

« Oui, m'dame », répondis-je.

CHAPITRE 16

Le pénitencier jaune à propulsion* me déposa à l'endroit même où il m'avait prise le matin.

« À demain », lança le chauffeur de bus en refermant la porte derrière moi. Et c'était la pire des choses à dire.

J'étais à nouveau pleine de haine.

Alors que je me tenais là au bout de l'allée, je me rendis compte que j'avais été toute la journée si préoccupée par l'école que je n'avais pas consacré une minute à planifier ce que je ferais une fois à la maison. Une chose était sûre, je ne voulais parler à personne, car je n'avais pas en moi le moindre mot gentil à prononcer. J'avais cependant bien des choses à dire qui m'auraient attiré des ennuis, surtout si Papa les avait entendues.

Mais il n'y avait pas de Papa qui m'observait de la grange. Et Maman n'était ni à l'arrêt de bus ni à regarder par la fenêtre. J'espérais ne pas la voir debout dans les parages lorsque je rentrerais, car je savais que, si Maman était là, elle aurait envie de discuter.

* Aux États-Unis, les cars de ramassage scolaire sont toujours jaunes. (N.d.T.)

« Comment s'est passée ta journée, Ida B. ? » dirait-elle.

Puis elle me fixerait de ses yeux tristes et même ma haine serait atténuée l'espace d'un instant. Je resterais plantée là la bouche bien fermée, les lèvres zippées, collées et agrafées afin d'empêcher que les mots méchants qui martelaient pour sortir et s'en prendre à Maman ne s'échappent.

Mais elle me demanderait à nouveau : « Chérie, comment s'est passée ta journée ? » Et je ne pourrais pas laisser passer une fois de plus l'occasion de dire ce que j'avais sur le cœur.

Ces mots jailliraient de ma bouche, visant directement Maman. Des mots tels que « Qu'est-ce que ça peut te faire ? » et « Tu n'as pas tenu ta promesse » et « Avez-vous vu mes parents ? Les miens ont disparu et je vis maintenant avec deux personnes qui ne tiennent pas parole, qui n'en ont rien à faire de moi et qui sont tout simplement méchantes. » Des mots qui feraient pleurer Maman et moi aussi d'ailleurs et me plongeraient jusqu'au cou dans un tas d'ennuis sans fond.

J'avais besoin d'un plan pour éviter Maman. Je remontai alors l'allée très lentement afin de me donner le temps d'en concocter un bon. Arrivée à la porte d'entrée, je sus ce que j'allais faire.

« Bonjour », dirais-je très poliment si Maman m'attendait. Puis, lorsqu'elle me demanderait comment s'était passée ma journée, je lui répondrais : « Peux-tu m'excuser ? J'ai un besoin urgent à satisfaire immédiatement. » Je croiserais les jambes comme on le fait lorsqu'il y a certaines nécessités qui s'imposent, je ferais une grimace comme si j'allais exploser, grimperais les escaliers en boitillant et passerais trois minutes et vingt-deux secondes dans les toilettes et je tirerais même deux fois la chasse d'eau pour faire plus vrai. Puis j'irais dans ma chambre et fabriquerais une pancarte où on pourrait lire :

Légèrement malade
(mais pas au point d'avoir besoin
de prendre sa température)
Enfant fatiguée derrière cette porte
Ne pas déranger jusqu'à demain matin

En dessous, je dessinerais Lulu assise devant ma porte, montrant les dents et sifflant « DÉFENSE D'ENTRER, S.V.P. »

Je ne serais donc pas en train de dire d'énormes mensonges et je ne me serais pas mise dans de beaux draps au risque d'avoir à dormir dehors.

J'entrouvris la porte d'entrée et jetai un coup d'œil pour voir ce qui m'attendait. Mais il n'y avait pas de Maman ni dans le grand fauteuil ni ailleurs. J'entrai à pas de loup, fermai doucement la porte derrière moi et me dirigeai sur la pointe des pieds vers les escaliers.

À l'instant même où je posai mon pied droit sur la première marche, humant la liberté mais sans la goûter pour autant, qui déboula de la cuisine, sautant, aboyant et faisant gicler de la bave de tous côtés comme s'il ne m'avait pas vue depuis vingt ans ? Rufus, bien sûr.

Tous les plans que j'avais élaborés partirent en fumée par la cheminée, aspirés dans le conduit, et ils s'envolèrent dans le ciel.

« Ida B. ? entendis-je Maman appeler de la cuisine.

– Oui, m'dame, répondis-je en essuyant mon visage du

revers de la main pour enlever un peu du jus visqueux de Rufus, lui lançant un regard pas-du-tout-content.

– Viens dans la cuisine, mon ange.

– Il faut que je monte dans ma chambre pour commencer mes devoirs» est ce que mon cerveau trouva de mieux pour m'offrir la meilleure chance de m'évader, je tentai donc le coup.

Mais une autre voix me répondit. C'était le représentant de l'Ordre et de la Réprimande. «Ida B., viens dans la cuisine», ordonna Papa.

Et ce fut le début de la fin. Je baissai la tête et traînai mon sac à dos derrière moi: je m'attendais au pire.

En entrant dans la cuisine, je les sentis tous deux, un de chaque côté. Je leur laissai le soin d'entamer l'inévitable conversation.

«Tu as faim, Ida B.? Tu veux manger quelque chose? demanda Maman.

– Non merci, dis-je.

– Chérie, tenta encore Maman, tu veux t'asseoir et discuter un instant?

– Je me sens un peu fatiguée, dis-je à la table. Et j'ai besoin d'aller aux toilettes», ajoutai-je, sauvant un bout de mon plan initial. Je m'apprêtais à revenir sur mes pas.

«Attends, Ida B.», intervint le souverain des Sans-Pitié.

Je restai figée, distinguant à peine du coin de l'œil gauche le couloir et la voie de mon salut.

«Comment s'est passée ta journée?» demanda Papa.

En fait, il me fallut une minute pour me remettre du choc d'entendre Papa, lui plutôt qu'un autre, me poser cette question-là. Surtout parce que j'étais persuadée qu'il n'avait pas envie d'entendre la réponse brutalement honnête et cent pour cent sincère d'Ida B.

J'étais maintenant face à un dilemme. Je devais trouver une manière de répondre à cet interrogatoire sans trahir la résolution prise par mon cœur, tout en évitant la colère d'un papa qui n'apprécierait guère une remarque avoisinant, même de loin, l'impolitesse.

Voici donc ce qui me vint à l'esprit et qui me parut mieux que toutes les autres possibilités, sans pour autant répondre que tout allait bien : « C'était okay », dis-je.

Mais, dans ma tête, « okay » ressemblait plutôt à ça : O.K. Ces lettres signifiaient orrible katastrophe, et je sais bien que l'orthographe est incorrecte, mais sur le moment, c'était ce que j'avais trouvé de mieux.

Puis je regardai Papa droit dans les yeux et dis : « Je peux disposer maintenant ? » Les mots que j'employai n'étaient peut-être pas méchants, mais la méchanceté était dans ma voix et jaillissait de mes yeux.

« Ida B… », commença Papa, d'une voix déjà forte tout en se redressant. Il s'était avancé, tout proche, prêt à m'attraper au cas où.

Mais Maman l'arrêta. « Evan, dit-elle, assez triste pour ne pas avoir à élever la voix, laisse-la tranquille. »

Papa garda les yeux fixés sur moi mais il se rassit au bout de quelques minutes.

Et je gagnai ma chambre en quatrième vitesse.

CHAPITRE 17

Quelques semaines plus tard, au cours du dîner, Papa me dit : « Nous avons vendu les terrains, Ida B. À une famille. Et ils comptent garder certains arbres.

– Peut-être auront-ils des enfants de ton âge, ma chérie », renchérit Maman qui semblait aller mieux depuis qu'elle suivait un nouveau traitement, mais ce n'était pas facile à affirmer puisque j'évitais tout contact visuel et sonore avec ces deux individus. « Ne serait-ce pas formidable d'avoir des amis juste à côté ?

– Génial », répondis-je avec cette manière de parler que j'avais alors, employant des mots qui ne révélaient finalement rien à personne.

Ce samedi-là, les ouvriers vinrent avec un bulldozer et une pelleteuse pour déblayer une partie du verger et commencer à creuser les fondations de la maison de ces gens, des gens que je ne connaissais même pas mais qui selon moi n'avaient rien à faire ici.

Rufus et moi marchâmes jusqu'au bout de la vallée et,

assis dans les bois, nous observâmes un moment ce qui se passait. Je plissai cette fois très fort les yeux, en une fente la plus mince et la plus méchante possible, et j'envoyai aux ouvriers des messages télépathiques comme : Allez-vous-en ! Vous n'êtes pas à la bonne adresse !

Mais dès qu'ils se mirent à scier et déraciner les arbres, mon estomac se noua, mes jambes et mes bras faiblirent et ma tête se mit à tourner. Je dus me lever et je me précipitai chancelante jusqu'à la maison avec Rufus qui me regardait, bavant et souriant, comme si c'était pour jouer. Je n'avais plus qu'à atteindre ma chambre et m'étendre sur le lit, la tête sous l'oreiller pour ne plus entendre le craquement des troncs et le grincement des machines.

« Je suis désolée, désolée, désolée », répétai-je en silence encore et encore.

Quand finalement tous ces sons atroces cessèrent, je restai allongée comme ça un long moment, malade, fatiguée et abasourdie.

Puis mon nouveau cœur échafauda un plan.

Jusque-là et depuis ce fameux jour dans la grange avec Papa, la seule chose qui m'importait était d'élaborer un plan pour me sauver moi et sauver ma vallée. Malgré mes souhaits, mes espoirs et des dizaines de prières pour trouver le bon, pas un seul plan correct ne m'était venu à l'esprit. C'était comme si toutes les idées intéressantes et les projets excitants qui fourmillaient dans ma tête depuis toujours s'étaient tout simplement envolés.

Car après ces premières semaines de retour à l'école, il

ne subsistait plus que de la tristesse au fond de moi. De cette tristesse calme qui ne s'agite pas et en dit encore moins. Chaque après-midi je rentrais à la maison, je finissais mes devoirs, je dînais, je faisais la vaisselle, puis je m'installais dans le grand fauteuil et je ne faisais rien.

« Ida B., que fais-tu ? demandait Papa.

– J'fais rien, répondais-je sans même m'efforcer d'articuler les mots correctement.

– Et pourquoi ne trouverais-tu pas quelque chose à faire ? » me disait-il d'une voix qui ne ressemblait pas vraiment à une simple suggestion.

J'allais donc m'asseoir sous le porche avec Lulu sur les genoux, la caressant sans faire réellement attention si bien que ma main tap, tap, tapotait le dessus de sa tête. Lorsqu'elle en avait assez, elle me donnait un petit coup de dents pour me faire comprendre que je ne lui portais pas l'attention qu'elle méritait, d'un bond elle descendait de mes genoux et s'éloignait indignée la queue en l'air en guise d'avertissement final. Je me retrouvais donc assise toute seule, à regarder sans voir, écouter sans entendre.

Papa passait devant moi en allant vers la grange et disait : « Ida B., arrête de te morfondre et fais quelque chose. »

Et je soulevais mon corps pour essayer de lui trouver une autre place.

Je ne pouvais pas aller dans le verger. Les pommiers ne voulaient plus avoir à faire avec moi. Et ils se chuchotaient toujours des choses du genre : « Vous avez entendu pour Philomena ? Ils l'ont abattue, la pauvre. »

« C'est à qui le tour ? Qu'est-ce que ces gens-là nous réservent ? » s'interrogeaient-ils.

« Si je pouvais, je me déracinerais pour m'installer de l'autre côté de la montagne, je vous l'dis. Rien ne va plus ici », disaient ceux qui ne voulaient pas paraître effrayés.

Mais le pire, c'étaient les bruits qu'ils faisaient le soir. « Ohhhhhh, ohhhhhh », gémissaient-ils au rythme endeuillé du vent et des branches qui dansaient ensemble, et leurs feuilles ondoyaient en signe d'adieu aux esprit de leurs défunts amis.

Je me tenais à l'écart non pas parce qu'ils m'ignoraient mais parce que je craignais qu'ils finissent par me parler. Je craignais qu'ils me demandent : « Pourquoi ne nous as-tu pas aidés, Ida B. ? Pourquoi ne nous as-tu pas protégés ? »

Mais je n'avais aucune réponse à leur donner, excepté cette impression d'avoir moi-même été abattue.

Je m'asseyais donc sur le versant de la montagne, bien contente de savoir que les étoiles étaient si loin que l'on entendait à peine leurs voix. Loin du verger et du ruisseau et du vieil arbre, jusqu'à ce que Papa m'appelle : « Ida B. ! Il est l'heure de rentrer ! »

Puis je rentrais à la maison, me mettais au lit et recommençais la même chose le lendemain.

Mais à présent mon cœur avait imaginé un plan. J'avais une mission, une raison d'être et plein, plein de choses à faire.

Je me dépêchai de faire mes devoirs, m'enfermai dans ma chambre jusqu'au dîner, fis la vaisselle à toute vitesse et disparus jusqu'au lendemain matin. J'œuvrais à rétablir la justice, rien que ça, à transformer le mal en bien et à arrêter cette folie qui s'était emparée lentement mais sûrement de ma vallée. J'étais Ida B., superhéroïne de luxe, amie des opprimés, ennemie du cancer, de la méchanceté, de la destruction gratuite et de l'éducation traditionnelle.

Je dessinai un symbole me représentant avec en arrière-plan la montagne et au premier plan les décombres de l'école élémentaire Ernest B. Lawson. Ce n'était qu'un tas de gravats et le seul indice qui permettait de deviner ce qu'il y avait eu là auparavant était les quelques mots que l'on parvenait à déchiffrer sur le panneau tout-aussi-démoli. J'étais suspendue juste au-dessus de l'amas de béton, peu après sa destruction.

Mon superassistant, Rufus, avait évacué hommes, femmes et enfants du bâtiment. Et l'instant d'après, j'étais descendue directement du paradis, volant dans le ciel, le poing tendu devant moi, et j'avais percuté le dôme de l'école. Grâce à cet unique coup de poing en plein dans le mille, j'avais réussi à pulvériser entièrement l'endroit. Je portais un pantalon violet, une chemise violette, des baskets et des chaussettes violettes. Mes nattes volaient au vent et j'affichais aussi un énorme sourire.

Il y avait des pommiers partout dans l'école et tous les enfants étaient en sécurité perchés dans leurs branches, avec Rufus qui mangeait de la tarte. Le ruisseau s'écoulait le long des ruines de cette école et il emportait tous les professeurs, le directeur et la secrétaire aussi, en gilet de sauvetage, vers le Canada.

C'était un dessin monumental. Je l'accrochai à ma porte sans même chercher à le dissimuler.

Puis je passai à l'étape suivante, qui consistait à effrayer les nouveaux venus.

Je fabriquai des panneaux, des affiches, et des notes d'avertissement à la peinture, au feutre et au crayon. Je fis des recherches dans nos encyclopédies sur les choses les plus dangereuses et les plus mortelles de l'univers, et je les invitai dans notre vallée.

DANGER SERPENTS VENIMEUX déclarait une affiche. On y voyait des dessins de serpents à sonnette, un cobra et un boa constrictor en train d'arracher le dernier souffle de vie d'une femme terrifiée dont les yeux sortaient de la tête à cause de la pression. Au bas de l'affiche se trouvait un homme avec deux morsures sanglantes à la cheville et dont la vie s'était manifestement achevée dans l'agonie.

TARENTULE APERÇUE DANS LES ENVIRONS, annonçait une autre avec en arrière-plan l'araignée noire la plus grosse et la plus velue prête à vous saisir de ses gigantesque pinces.

PASSAGE HEBDOMADAIRE DE TORNADES, indiquait la troisième, avec le dessin d'un cyclone emportant une jolie petite maison, une maman, un papa et deux enfants hurlants, avec leur chien, vers on ne sait où.

DANGER : MOUCHES TSÉ-TSÉ ; CHIENS-LOUPS GÉANTS, FÉROCES ET VORACES ÉCHAPPÉS DU CHENIL APERÇUS DANS LES PARAGES ; INVASION DE SAUTERELLES PRÉVUE CETTE ANNÉE, avertissaient d'autres avec des dessins très explicites.

J'étais consciente que certaines de ces choses ne pourraient jamais se produire dans la région, mais j'espérais que nos nouveaux voisins étaient des gens peu cultivés. J'utilisais beaucoup de grands mots pour que ça ait l'air plus vrai et je signais chacune d'elles du nom du chef de la police, Vernon Q. Highwater.

Des chefs-d'œuvre de terreur.

Lorsque j'en eus réuni une quarantaine, j'emportai mes affichettes sur le terrain où se construisait la nouvelle maison, et j'en placardai partout sur les pylônes téléphoniques le long de la route, sur les arbres restants, sur le béton des fondations. J'en collai même sur la charpente déjà montée.

Puis je me mis à ramasser des choses que je laissais en offrande dans leur cave : serpents, araignées, larves et limaces. Ce lieu paraîtrait si affreux et effrayant et aurait l'air si dégoûtant qu'ils préféreraient rester dans leur maison en ville et ne jamais s'installer ici. Ils rendraient les terres à Papa pour ne plus jamais avoir à craindre une épidémie de peste bubonique ou un verger infesté d'alligators.

CHAPITRE 18

À l'école, Mlle Washington essayait de m'avoir à l'usure.

Chaque jour à l'heure de la récréation je m'asseyais sur les marches. Chaque jour elle s'asseyait à côté de moi et disait : « Tu as envie de parler de quelque chose, Ida ? »

Et chaque jour je répondais : « Non, m'dame. »

Mais ça devenait de plus en plus dur de dire : « Non, m'dame » sans la regarder, de faire comme si elle était une inconnue, comme si c'était réellement vrai que je n'avais envie de parler de rien.

Lorsqu'une personne s'arrête chaque jour pour vous parler et vous demander de vos nouvelles et ne dit rien pour faire votre part de la conversation mais vous laisse simplement le choix de parler ou non, c'est alors difficile de l'imaginer en tant qu'ennemie ou de l'éloigner le plus loin possible de son cœur. C'est difficile de ne pas faire confiance à une telle personne.

Et elle m'avait vraiment à l'usure, même si elle n'en avait probablement jamais eu l'intention.

Mlle Washington nous faisait la lecture tous les jours

après le déjeuner et sa voix ressemblait au son de dix instruments de musique différents. Elle pouvait la rendre grave, profonde et puissante comme un tuba ou bien hop, hop, hop, hop, vive et légère comme une flûte.

Lorsqu'elle lisait, sa voix enveloppait ma tête et mon cœur, adoucissait et allégeait tout. Cela provoquait dans mon cœur une douleur qui faisait du bien. Quand elle racontait des histoires cela me donnait envie de raconter des histoires aussi. Je voulais lire comme elle pour connaître ce sentiment à tout moment.

Mlle Washington lisait de bons livres en plus, pas ces livres idiots où les enfants n'apprennent qu'à devenir sages. Dans ces ouvrages, les enfants faisaient des choses amusantes, des choses courageuses, des choses magiques.

Elle passait devant mon bureau et y déposait un livre. « J'ai pensé que tu aimerais peut-être le lire », chuchotait-elle.

Et je le laissais là comme s'il ne m'intéressait pas du tout. Puis, en fin de journée, je le glissais dans mon sac à dos. Je le sortais une fois arrivée à la maison, dans ma chambre, la porte fermée, et elle avait raison – je l'aimais. Beaucoup. Mais je ne le lui disais pas.

Je m'entraînais à lire à haute voix comme Mlle Washington à Lulu et à Rufus, mais je le faisais dans ma chambre et tout doucement pour que Maman et Papa ne m'entendent pas. Rufus fermait les yeux et semblait si heureux et paisible, comme moi je parie, quand Mlle Washington faisait la lecture. Lulu s'ennuyait rapidement et se mettait à gratter à la porte pour sortir, mais je m'en fichais, je ne le prenais pas pour moi.

J'aimais juste transformer les mots en histoires grâce au son de ma voix.

Au bout de quelques semaines dans cette classe, j'appelai Mlle Washington « Mlle W. » mais jamais devant elle.

Un mercredi pendant l'heure de lecture silencieuse, je levai la tête de mon livre pour jeter un coup d'œil et voir ce qu'elle était en train de faire. Elle était là, le menton dans la main, tapotant le bureau de son crayon et me regardant droit dans les yeux. À l'instant où elle me vit la regarder, elle sourit, quitta son bureau et s'avança vers moi.

Je reconnais maintenant une personne quand elle mijote un plan. Je voyais bien que cette femme en concoctait un de taille, et j'en étais le principal ingrédient. Mais je n'allais certainement pas en faire partie, puisque c'était ce que mon cœur avait décidé.

Très vite, je baissai à nouveau la tête et la plongeai dans mon livre afin d'avoir l'air trop occupée pour être interrompue. Mais Mlle W. était en mission, et ne comptait pas essuyer un échec.

D'abord, elle s'assit à côté de moi, et je plantai le nez dans mon livre jusqu'à ce qu'ils se touchent presque.

Puis elle pencha la tête vers moi et, très doucement, elle chuchota : « Ida, j'ai besoin de ton aide. » Et je sentis cet agréable frisson qui vous donne la chair de poule remonter ma nuque et le long de mes bras, car elle murmurait des sons tout doux au creux de mon oreille comme le faisait Maman.

« J'ai besoin que tu aides Ronnie à apprendre ses tables

de multiplication, dit-elle, ronronnant comme un chat. Crois-tu pouvoir travailler avec lui ? Lui apprendre comme toi tu as appris ? »

Eh bien, c'était comme si elle m'avait envoûtée et que je n'arrivais pas à rompre le charme. Mon cœur dur voulait que je me tourne vers elle et réponde, froide et sèche : « J'aimerais mieux pas, mademoiselle Washington », détournant brusquement la tête et un point c'est tout.

Au lieu de ça, je sentais toujours le son de sa voix dans le creux de mon oreille et partout ailleurs. Et j'acquiesçai d'un signe de tête sans un « Uh-huuh » ou « Oui, m'dame » qui aurait pu créer une interférence avec le souvenir de cette voix douce qui me demandait si gentiment quelque chose. Cela me rappela ce que ça faisait d'être aimée.

CHAPITRE 19

Ronnie DeKuyper était un petit blond qui courait plus vite que n'importe qui dans notre classe. Il souriait pratiquement tout le temps et, s'il y avait quelqu'un que j'aurais pu aimer, ç'aurait été lui. Il était très gentil, même quand les gens étaient désagréables, et il n'embêtait jamais les autres enfants. Mais il était mauvais en maths.

Pas pour les additions et les soustractions, mais pour les multiplications. Il était si nul que chaque fois qu'il levait la main ou qu'on l'appelait, je fermais les yeux et j'attendais que ça passe, parce que je savais bien qu'il allait se tromper. Parfois je pensais : « Ronnie, mon gars, laisse tomber. » Mais il persévérait et je le respectais de ne pas vouloir abandonner même si cela semblait perdu d'avance.

J'étais donc censée m'asseoir à côté de lui pendant l'étude et lui montrer comment on m'avait appris les tables de multiplication. Mais je ne me souvenais plus comment je les avais apprises, sauf que Maman et Papa n'arrêtaient pas de me les répéter, et ils m'interrogeaient ou me les faisaient réciter et je n'abandonnais pas et très vite je les connus toutes.

Je voyais bien que Ronnie était gêné de savoir que j'étais celle qui lui ferait la leçon, car la première fois que je suis allée le voir à sa table, il a juste regardé ses pieds.

Bon, je sais qu'il est difficile de ne pas savoir bien faire quelque chose et je sais qu'il est difficile de demander de l'aide. Aussi, au lieu de ne rien dire ou d'attendre qu'il fasse les premiers pas, ce qui jusqu'ici était ma routine de cœur-de-pierre, je finis par lui dire « Salut ». Car je me sentais rudement ennuyée de voir le gentil et joyeux Ronnie Roi du sprint si mal à l'aise et tout honteux.

« Salut Ronnie », dis-je en prenant place à côté de lui, et c'était la toute première fois que je disais bonjour à un élève depuis mon arrivée trois semaines auparavant.

Je crois cependant que Ronnie ignorait la noblesse de mon geste car il ne fit que me répondre « Hé » en marmonnant, et il regardait toujours ses chaussures comme si elles étaient la huitième merveille du monde.

Certes, si ç'avait été Calvin Faribault la-Grosse-Tête, qui se prend pour le centre du monde, j'aurais dit qu'il dépassait les bornes. Mais là c'était Ronnie, un gars bien, juste un peu déprimé. Mon cœur de pierre se serra un petit peu bien que je n'en aie aucune envie.

Je parlai tout doucement à Ronnie pour que personne ne nous entende et pour ne pas qu'il se sente encore plus embarrassé. « Tu veux jouer à un jeu ? » demandai-je. « Tu veux jouer à un jeu, Ronnie ? »

Il m'observa du coin de l'œil pour voir si j'étais sérieuse ou si je me moquais de lui ou si j'étais juste complètement folle.

« Quel genre de jeu ? demanda-t-il.

– Un jeu pour l'esprit, répondis-je. C'est comme une course d'obstacles pour l'esprit.

– J'suis pas très calé en trucs d'esprit, marmonna-t-il, et il retomba dans sa fascination pour ses chaussures.

– Si, tu l'es, tu ne le sais pas, c'est tout, lui assurai-je. Ronnie, est-ce que tu cours beaucoup ?

– Je cours tout le temps.

– Je te parie que si je courais tout le temps je pourrais être aussi rapide que toi, dis-je.

– J'en doute », rétorqua-t-il, ce qui m'irrita un peu, mais là au moins il me regardait droit dans les yeux et toute sa honte s'était envolée. Il était sur la ligne de départ.

« Bref, dis-je, car je décidai de laisser passer cette dernière remarque, tout est dans l'entraînement. On va devoir s'entraîner pour ce jeu, et puis on va jouer, et je te battrai toujours à plate couture, sauf si tu t'entraînes encore et encore. Si tu t'entraînes vraiment, tu pourras peut-être me battre parfois. Tu veux jouer ou pas ? »

Maintenant je savais que nous en étions arrivés au moment où Ronnie, se sentant insulté, cracherait sur mes chaussures et dirait « Laisse tomber », ou bien, remonté à bloc, il dirait « C'est parti ». Et je voyais que les deux idées lui traversaient l'esprit en même temps, parce qu'il fixait mes chaussures en remuant sa bouche comme s'il préparait un gros mollard, mais il raclait aussi très rapidement le sol du pied comme s'il s'apprêtait à foncer depuis la ligne de départ.

« Okay, dit-il finalement. C'est quoi la mise ?

– Je sais pas, moi, répondis-je. On pourrait dire que chaque fois, c'est le gagnant qui joue en premier.

– Naan, ça c'est pour les bébés. Jouons pour des centimes. »

J'aimais bien ce plan pour deux raisons. J'aimais l'esprit de compétition de Ronnie, parce que cela voulait dire qu'il allait faire un effort et que toute cette affaire n'allait pas être aussi ennuyeuse ou minable que prévu. Et je l'aimais aussi car je savais que j'allais gagner un peu d'argent.

« D'accord », dis-je, et je décidai dans ma tête que chaque fois ou presque que nous jouerions à ce jeu, je défierais Ronnie à une course à pied à la fin de la journée pour qu'il puisse regagner son argent. Du moins en partie.

Mais nos courses auraient lieu en privé pour que personne ne pense que je m'amusais.

Puis je montrai à Ronnie ce qu'il devait faire pour s'entraîner.

Nous commençâmes avec la table de multiplication la plus simple qui existe, hormis une fois n'importe quoi : la table de dix. D'abord, je lui montrai que chacune des réponses était simplement le chiffre que l'on multipliait par dix avec un zéro derrière. Puis je lui fis écrire la table de dix plein de fois, et je le fis même avec lui pour qu'il ne se sente pas seul. Nous devions répéter la table de dix encore et encore, et aussi à l'envers. Puis on s'interrogeait sur les plus simples.

« Ronnie, deux fois dix ?

– Vingt. Huit fois dix, Ida ? » et ainsi de suite jusqu'à ce que l'on soit bien échauffés.

Deux jours à ce rythme-là et nous étions prêts pour le Challenge des célébrités. Pour le Challenge des célébrités, on peut être qui on veut, sorti de n'importe quelle époque ou même d'une histoire. Ronnie voulait être Carl Lewis, la star de l'athlétisme toutes catégories. Et moi, la reine Élisabeth Ire parce qu'elle était rousse et qu'elle était reine d'Angleterre sans roi, ni prince, ni rien.

À ce jeu-là, le premier à avoir vingt-cinq bonnes réponses gagne. Au premier tour, on se pose juste des questions basiques, mais on peut brouiller un peu les pistes. On peut demander : « Combien font douze fois dix ? », mais on peut aussi demander, « Combien font dix fois douze ? » Au deuxième tour, on peut aussi additionner ou soustraire un multiple, du genre : « Combien font dix fois dix moins dix fois deux ? » S'il est soudain nécessaire de départager un ex-æquo fatal, on peut vraiment compliquer les choses, mais il faut se montrer bon joueur.

On n'a pas droit au papier, mais je laissai Ronnie en utiliser les premières fois. Et je le battais quand même à plates coutures. Et souvent.

Mais, à force, je le soupçonnai de s'entraîner à la maison, parce qu'il devenait de plus en plus fort et plus malin. Parfois il voulait jouer même en dehors du temps d'étude, lorsque par exemple nous nous rangions pour sortir et qu'il pensait avoir trouvé une question particulièrement rusée.

« Hé, Ida, disait-il, vingt centimes pour une question. Juste une question pour vingt centimes. Allez. »

Mais la plupart du temps je ne lui répondais même pas, parce que je ne voulais pas que les autres élèves pensent que je traînais avec quiconque.

Le seul moment où Ronnie pouvait me battre, c'était lorsqu'il commençait en premier, mais cela ne lui arrivait que très très rarement. Quant à moi je ne le battais jamais à la course, même si je me rapprochais, on était donc quittes.

Je faisais la course avec lui à la fin de la journée, alors que tout le monde attendait son bus, quand nul ne faisait attention à nous. Nous filions en cachette derrière l'école et partions de la première ligne jaune dans la cour de récréation, jusqu'à la grille. Puis je lui donnais vingt centimes et nous marchions jusqu'à la file d'attente de nos bus, faisant comme si nous ne nous connaissions absolument pas.

Je m'amusais presque avec Ronnie. Mais je ne voulais pas le considérer comme un ami, car je l'avais rencontré à l'école élémentaire Ernest B. Lawson.

CHAPITRE 20

Un jour, après le déjeuner, Mlle W. dit à la classe: «Je sais qu'il est l'heure de la lecture, mais je ne pense pas pouvoir m'en charger aujourd'hui. Ma voix est trop fatiguée.»

Elle posa sa main sur sa gorge et grimaça comme si quelque chose la faisait souffrir. C'était la même tête qu'elle avait eue quand Simone Martini avait presque hurlé en direction de Patricia Polinski à l'autre bout de la classe, et Mlle W. avait dit: «Simone, utilise ta voix intérieure. Tu me casses les oreilles.»

Tout le monde leva les yeux et arrêta de bavarder ou de faire ses exercices pratiquement en même temps, regardant exactement dans la même direction, avec la même expression sur le visage: un mélange de trente pour cent de choc, vingt pour cent d'incrédulité et cinquante pour cent de tristesse pure et simple.

«Oh, nooon!» fit Matthew Dribble tout haut.

J'étais complètement estomaquée, comme si tout ce que j'avais mangé au déjeuner se retournait dans mon ventre.

«Non, ma voix est vraiment trop fatiguée, dit Mlle W.

d'un ton faible et rauque. Et nous allions lire *Alexandra Potemkine et la fusée spatiale direction planète Z.* C'est vraiment dommage. »

Mlle W. s'assit, prit sa tête dans ses mains et son corps s'étiola. Non seulement sa voix était fatiguée, mais chaque partie de son corps avait aussi besoin de repos.

« S'il vous plaît ? supplia Alice Mae Grunderman.

– S'il vous plaît, mademoiselle Washington ? » implorèrent Patricia et Simone à l'unisson, leurs yeux ronds comme des billes.

Et tout le monde se laissa prendre au jeu et on entendit une sorte de chanson avec un couplet de « S'il vous plaît, mademoiselle Washington » et un refrain de « S'il vous plaît, s'il vous plaît, s'il vous plaît ».

Mais la voix de Mlle W. se détériorait à une vitesse alarmante, car maintenant elle ne parvenait plus qu'à émettre un murmure enroué et nous dûmes tous arrêter les « s'il vous plaît » pour l'entendre.

« Je suis désolée, mais ce n'est pas possible. »

Elle fit une pause, et l'on devinait à son regard qu'elle réfléchissait très fort. Nous gardâmes le silence pour la laisser respirer.

« Peut-être, dit-elle en levant les yeux et forçant un faible sourire, pourrions-nous avoir exceptionnellement un lecteur surprise ? »

Eh bien, ce n'était pas évident d'imaginer quelqu'un d'autre que Mlle W. faire la lecture, et nous restâmes tous sans bouger un instant.

Puis tout le monde commença à hocher la tête et à se

regarder, souriant et hochant la tête de plus belle, parce que personne ne voulait rater l'heure des histoires, pas même Tina Poleetie qui dormait habituellement tout du long.

Au bout de quelques minutes, tout le monde se mit à regarder Mlle W. en faisant de grands signes de tête, bombant le torse et s'exclamant à haute voix : « Je trouve que c'est une très bonne idée » et « Oui, allons-y pour un lecteur surprise aujourd'hui », car ils se rendaient compte qu'ils pourraient bien être le lecteur surprise et l'élève star de l'après-midi. Ils voulaient rappeler à Mlle Washington qu'ils étaient non seulement de fantastiques lecteurs, mais aussi de merveilleux êtres humains.

Surtout Calvin « Grosse Tête » Faribault qui leva carrément la main, et je savais pertinemment que c'était pour se porter volontaire par pure gentillesse et du plus profond de son gros et gras cœur de grosse tête.

Mais Mlle W. ne regarda même pas en direction de Calvin. « Ida, comme je sais que tu as déjà lu ce livre, me dit-elle d'une voix faible, comme s'il s'agissait de sa dernière volonté, pourrais-tu nous lire le premier chapitre aujourd'hui ? »

Eh bien, j'étais si choquée et si gênée, assise là avec la bouche grande ouverte, que je ne remarquai même pas que tous les autres enfants me dévisageaient la bouche grande ouverte aussi. Transformer les mots en musique comme Mlle W. était la chose que je souhaitais faire plus que tout au monde. Mais raconter une histoire à haute voix devant ma classe de l'école élémentaire Ernest B. Lawson était probablement la dernière chose que je voulais faire de toute ma vie. J'étais si troublée, ne sachant pas si je devais être contente ou terrifiée, que je demeurai simplement assise là.

Mlle W. se leva, marcha dans ma direction, pencha son visage près de mon visage étonné et pétrifié, et chuchota : « Ida, j'ai besoin de ton aide. »

Et voilà, j'étais une fois de plus hypnotisée par cette femme. J'étais comme un chien qui irait chercher le bâton de Mlle W., même enfoui dans un nid de vipères sous un buisson de ronces fraîchement aspergé par un putois.

Je regardais maintenant Mlle W. juste effrayée, parce que je savais que j'allais le faire mais je ne savais pas comment.

« Je sais que tu vas être parfaite », croassa-t-elle.

Dans ma tête, je me voyais trottiner à la recherche du bâton, même si je sentais l'odeur nauséabonde et que les ronces me piquaient déjà.

« Veux-tu rester assise ici ou bien t'asseoir à ma place ? demanda Mlle W.

– Je préfère rester ici », marmonnai-je.

Elle posa le livre sur ma table, apporta sa chaise, s'assit à côté de moi, inclina légèrement sa tête en arrière et ferma les yeux.

« Quand tu veux, Ida », dit-elle de sa voix rauque.

Mlle W. m'avait déjà donné un certain nombre de livres à lire, car cela ne me prenait qu'un jour ou deux au plus pour les terminer, sauf si je travaillais sur le projet terrifier-les-gens-qui-ont-acheté-nos-terrains. *Alexandra Potemkine et la fusée spatiale direction la planète Z* était jusque-là mon livre préféré. Le préféré de Rufus aussi je crois, car il avait un rendement d'à peu près un litre de salive par chapitre lu.

Je sentis des picotements dans mes doigts à l'idée d'ouvrir le livre et de lire ces mots à haute voix, faisant monter et descendre ma voix, la durcissant et la radoucissant tout comme je le faisais dans ma chambre. Mais mes jambes tremblaient comme si elles se tenaient au cœur d'une tempête de neige et mon estomac faisait des bonds en avant, en arrière, en avant, puis en arrière en pensant à tous ces gens qui me regarderaient et entendraient ma voix.

Je fermai les yeux, posai ma main droite sur le livre et la passai doucement sur la couverture. Le livre était frais et lisse comme un galet du fond du ruisseau, et cela me calma. Il y a un tout autre monde à l'intérieur, pensai-je, et c'est là que je veux être.

J'ouvris le livre et m'apprêtai à lire le titre, mais je sentis tous ces yeux sur moi, qui m'encerclaient au point que je manquais d'air. Les seuls sons qui s'échappèrent de moi furent des petits piiiip, comme les pépiements d'un oisillon : « *Alexandra Potemkine et la fusée spatiale direction la planète Z.* »

Mlle Washington, les yeux toujours fermés, se rapprocha et me glissa : « Tu vas devoir parler plus fort, mon ange, pour que tout le monde puisse entendre.

– Oui, m'dame », lui répondis-je en chuchotant. J'inspirai profondément, je remplis mon ventre d'air et je contractai mes muscles pour l'expirer, afin d'expulser une grosse bouffée d'air hors de ma bouche, libérant ainsi mes cordes vocales.

« Chapitre premier », beuglai-je. Ma voix était si forte

qu'elle me surprit et me fit légèrement sursauter sur ma chaise.

Mais personne ne rit. Ils m'écoutaient.

Le livre parle d'Alexandra et de ses parents qui la trouvent assez difficile, mais ils ne savent pas qu'elle est en fait un petit génie qui assiste le professeur Zelinski, lui-même un scientifique de génie, dans sa quête pour retrouver et explorer la planète Z. Alexandra s'attire des ennuis, mais elle est au fond quelqu'un de très sérieux.

Au début, je m'inquiétais de tous ces gens qui me regardaient et m'écoutaient. Mais au bout de quelques minutes, je m'évadai de la classe et plongeai dans l'histoire. Au lieu d'être à l'école, j'étais dans le laboratoire d'Alexandra et je disais juste tout haut tout ce que je la voyais faire ou la sentais ressentir. Je laissai ma voix décrire ce qu'elle faisait, voyait et sentait.

Et j'avais tellement hâte de voir ce qui allait lui arriver que j'oubliai que j'étais en train de lire. D'un seul coup, ce fut la fin du chapitre et c'était comme si l'on m'avait arrachée d'un rêve et que je ne savais plus trop bien où je me trouvais. J'observai autour de moi et je vis que j'étais assise en classe, il y avait un livre devant moi, des enfants me dévisageaient, et lentement tout me revint à l'esprit.

Je lançai un regard à Mlle W., elle me sourit et murmura : « Merci beaucoup, Ida. C'était merveilleux. »

Je rendis le livre à Mlle W. et nous nous remîmes au travail et tout redevint comme avant, à l'exception de Mlle W. qui dut écrire toutes les instructions au tableau au lieu de les dicter.

Pendant l'étude, quand je rejoignis Ronnie à son bureau, il me fixa droit dans les yeux et me dit : « Tu lis drôlement bien, Ida. » Et cette fois, c'était moi qui fixais mes chaussures comme si elles allaient disparaître si je les quittais des yeux.

Ma gorge se serra tellement que je parvins à peine à dire : « Merci. »

Rien n'avait changé excepté la chaleur qui irradiait mon ventre, mes bras, mes jambes et ma tête et qui ne partait pas. Même durant le long et crasseux retour en bus.

CHAPITRE 21

« Comment ça s'est passé à l'école aujourd'hui, Ida B. ? » me demandaient Papa et Maman chaque jour depuis mon retour à l'école élémentaire Ernest B. Lawson.

Et chaque jour je répondais : « C'était O.K. », ce qui signifiait alors aussi outrageuse kalamité.

« Bien, qu'est-ce que tu as fait ? »

Je leur énonçais alors seulement les faits, froide et dure comme mon cœur. « On a eu anglais et puis sciences et puis on est allés au gymnase... », restant de marbre, sans aucune part de la véritable moi là-dedans.

Tous les jours, c'était la même chose et c'était si ennuyeux et vieux et sec comme un croûton de pain que je n'en revenais pas qu'ils persistent aussi longtemps.

Cependant au bout d'un moment ils laissèrent tomber. Ils disaient simplement : « Comment ça va, Ida B. ?

– O.K. », marmonnais-je.

Et c'était tout. Je ne pensais pas qu'il leur fallait plus de mots que ça pour leur faire comprendre qu'il n'y avait absolument rien qui flottait en moi qui se rapproche d'un semblant de joie.

Mais ce jour-là était différent. L'agréable sensation que j'avais eue après la lecture de cette histoire s'était amplifiée peu à peu au fil de l'après-midi, jusqu'à devenir un sentiment de joie pure et simple à mon arrivée à la maison. Je n'arrêtais pas de repenser à ce que j'avais fait et au plaisir que cela m'avait procuré, et la lumineuse chaleur en moi grandissait et se renforçait et brillait un peu plus chaque fois.

Mes jambes voulaient sautiller au lieu de marcher dans l'allée jusqu'à la maison. Mes lèvres voulaient sourire au lieu de faire la moue. Mes bras voulaient enlacer quelqu'un au lieu de serrer mon sac à dos sur ma poitrine comme un bouclier. Mon cœur était horrifié.

La joie n'allait pas non plus se contenter de rester en moi. Elle voulait être partagée. Et la personne avec laquelle elle se partagerait lui importait peu, Maman et Papa inclus.

Je m'imaginais déjà en train de dîner avec eux, débordante de toutes sortes d'agréables sensations. Je serais là, bavarde et souriante, et en moins de deux Maman et Papa penseraient que j'étais redevenue la bonne petite Ida B. pleine d'entrain et que l'école était la meilleure chose qui me soit jamais arrivée et que tout s'était peut-être finalement bien arrangé.

Et ce serait inadmissible.

Je n'allais pas laisser cette joie compromettre ma position actuelle selon laquelle, bien qu'il puisse de temps à autre se produire de bonnes choses dans ce monde, rien ne tournait rond ni dans ma famille ni dans ma vallée.

Je tentai donc de m'en débarrasser un peu avant l'heure du dîner en racontant à Rufus et à Lulu les aventures de ma lecture à haute voix. Je les assis tous deux sur mon lit et alors que Lulu scrutait Rufus avec un mépris des plus mortels, je leur relatai mon histoire. Les deux battements de queue de Rufus et un bâillement ennuyé de Lulu ne parvinrent cependant pas à calmer mon sentiment de joie. Lorsque je passai finalement à table, cette joie faisait des cabrioles d'enthousiasme dans mon estomac. Elle trépignait d'impatience à l'idée de raconter cette journée à Maman et à Papa. Ça la démangeait de dire à quel point j'étais contente de Mlle W. et des histoires qu'elle me donnait, et surtout de lire *Alexandra Potemkine et la fusée spatiale direction la planète Z.* Elle voulait même parler de Ronnie.

J'essayai de m'échapper avant que la joie fasse son apparition.

« Je n'ai pas faim. Est-ce que je peux disposer ? » demandai-je.

Papa était pourtant bien décidé à ruiner mon plan. « Il faut que tu dînes, Ida B., dit-il.

– Mange un petit peu chérie », ajouta Maman.

À ce stade, mon cœur battait la chamade, essayant de tempérer cette joie pour qu'elle se tienne tranquille, mais elle gagnait du terrain. Je me rendis compte que j'allais devoir lâcher du lest pour pouvoir juguler le reste et reprendre le contrôle de mon petit monde.

Je me concentrai sur mes carottes, les alignant avec ma fourchette à la verticale, puis à l'horizontale, puis en zigzag. Et je laissai échapper un tout petit brin de gaieté.

« J'ai lu un livre à voix haute en classe aujourd'hui », dis-je, luttant pour garder une intonation calme et régulière.

Papa leva les yeux et me dévisagea, comme s'il ne savait pas vraiment quoi faire d'un bout de conversation venant de moi.

« Oh, Ida B., ça t'a plu ? » me demanda Maman en souriant.

J'acquiesçai d'un signe de tête.

« Qu'as-tu lu ? poursuivit Maman.

– Juste un livre sur une fille, dis-je aux carottes.

– Tu connaissais le livre ou était-ce la première fois que tu le lisais ?

– Je l'avais déjà lu.

– As-tu eu peur de lire devant tous ces gens, Ida B. ? »

Je haussai les épaules comme si c'était-tellement-rien que je ne m'en souvenais même pas. « Pas vraiment.

– C'était merveilleux, ma chérie ? » demanda Maman.

Dès que Maman prononça ces mots, je sentis remonter chaque goutte de ce bonheur que j'avais éprouvé en lisant cette histoire. Cela me submergea de l'intérieur et je ne pus retenir la joie qui débordait.

« Oui », dis-je.

Puis je regardai Maman droit dans les yeux pour la première fois depuis ce qui me semblait des lustres, et elle ne regardait pas vers moi, mais en moi. Elle m'attirait vers elle avec ses yeux comme elle le faisait auparavant. Et soudain je vis la lumière de Maman qui scintillait dans ses yeux. Je ne pus m'empêcher de sourire.

« Attention », me mit en garde mon cœur.

Mais j'avais le plus grand mal à me rappeler ce quelque chose dont j'aurais dû me méfier. Car si je regardais seulement les yeux de Maman et non son crâne chauve ou son teint pâle, je m'apercevais que cette part d'elle que je croyais à jamais disparue était toujours présente et brillait, mais cette fois du plus profond de son être.

La part de moi qui savait comme c'était bon d'être enlacée et câlinée le désirait ardemment. Mais me laisser aller à ce genre de sensation m'effrayait aussi maintenant. Penser à me rapprocher de Maman et à l'aimer ainsi, savoir que les choses seraient toujours aussi terribles et que, pour finir, je serais forcée de garder mes distances et de ne plus l'aimer encore une fois, ce serait trop dur à supporter.

« Ça suffit », me dit mon cœur, aussi gentiment que possible.

Je baissai à nouveau les yeux, loin de l'éclat de Maman, et à cet instant je fus encerclée et envahie par toute la souffrance des derniers mois.

Je fixai les carottes, les alignant en X, et cette joie se tint finalement tranquille et silencieuse.

« Je peux sortir de table maintenant ? demandai-je.

– Tu es sûre d'avoir terminé, Ida B. ? insista Maman.

– Oui, m'dame », dis-je à la table et je glissai sans bruit de ma chaise, hors de la cuisine et en haut dans ma chambre.

Et c'est drôle, mais de raconter à Maman et à Papa seulement ce petit bout se révéla pire que ne rien raconter du tout. Être dans la même pièce mais se parler comme si nous étions de chaque côté de l'océan transforma un supertruc en un truc supertriste. Ma maman d'avant et même mon papa d'avant me manquaient plus que jamais et plus que tout.

CHAPITRE 22

Ce samedi-là, les intrus nous rendirent visite. J'étais assise sous le porche de l'entrée et je vis une voiture bizarre, grosse et blanche, qui avançait sur la route. Elle tourna à gauche au croisement, se dirigea vers le terrain en construction et se gara.

Je fonçai derrière notre maison, contournai la montagne et coupai à travers bois jusqu'à ce que je me trouve pile en face de leur maison à moitié finie. Je grimpai en haut d'un vieil érable appelé Norbert, qui ne me parlait pas, mais qui ne m'embêtait pas non plus. J'étais cachée par son feuillage et je restai assise là-haut afin d'observer ces gens qui eux ne pouvaient pas me voir.

Ils étaient déjà sortis de leur voiture et examinaient l'extérieur de la maison. Il y avait une maman, un papa, un petit garçon et une fille un peu plus grande que moi qui me semblait très familière.

Ils firent d'abord ensemble le tour de la maison et les parents disaient des choses du genre : « Oh, Ray tu ne trouves pas que c'est réussi ? » et « Il faudra en parler au chef de chantier », mais je n'y prêtais pas grande attention. Je regardais surtout la fille.

Puis elle se retourna et je la vis de face, avec en plus un rayon de soleil éclairant son visage. Je dus me cramponner aux branches de l'arbre pour ne pas tomber quand je compris qui c'était.

La fille, c'était Claire, celle de ma classe, celle qui m'avait demandé si je voulais jouer, le premier jour de mon retour à l'école.

Les parents se dirigèrent vers l'autre bout du terrain et Claire et son frère remarquèrent la butte de terre retournée par le bulldozer. Ils s'y précipitèrent, l'escaladèrent, puis essayèrent de la dévaler le plus rapidement possible sans tomber.

Ils riaient et regardaient autour d'eux, cherchant d'autres moyens de s'amuser, et toute cette petite bande était tout simplement ravie.

Je voyais bien que personne ne se doutait que cette terre avait auparavant appartenu à quelqu'un d'autre et qu'il y avait des arbres qui avaient vécu là. Des arbres qui avaient des noms, qui étaient vivants et qui avaient été abattus afin que cette maison puisse être construite. Aucun d'entre eux n'imaginait que l'unique raison de leur présence ici était la maladie de ma mère. Mais moi, si.

Lorsque ces enfants eurent fini d'escalader la butte de terre, ils se mirent à se balader aux alentours et Claire ne tarda pas à repérer l'une de mes affiches sur un arbre.

« Viens voir », dit-elle au petit garçon.

Tous deux accoururent et elle lui lut à haute voix : « Risques de typhons dans le secteur. Invasion de rats d'eau. »

« C'est quoi un typhon ? demanda le garçon.

– C'est comme un ouragan. Mais je ne pensais pas qu'il y en avait dans le coin. »

Ils étudièrent l'affiche pendant quelques minutes, puis le garçon pointa du doigt une partie du dessin et dit : « Il est rigolo, ce rat », et ils gloussèrent tous deux en détaillant le nez pointu et les dents de lapin de mon rat.

Je sentis le feu de ma colère frémissante s'attiser, ce qui la porta d'un coup à ébullition.

« Hé, regarde, il y en a une autre là-bas ! cria Claire, et il se précipitèrent pour aller le voir.

– Je préfère celle-ci, dit-il.

– Moi aussi. Le serpent n'est pas mal du tout.

– Il y a vraiment des serpents comme ça par ici ? » Le petit garçon écarquilla les yeux, il était prêt pour une frayeur.

« Non ! rit-elle. Ces affiches sont des blagues ; elles sont censées être amusantes.

– Oh ! dit-il, et il rit aussi. Allons voir si on en trouve d'autres ! »

Et les voilà partis pour une chasse au trésor, allant d'un indice à l'autre, courant et riant et s'amusant comme des petits fous. Ils adoraient mes affiches. C'était comme si je leur avais inventé le Jeu de bienvenue dans le voisinage.

Je passai d'un état d'ébullition à un bouillonnement furieux au point d'en perdre mon couvercle en moins de deux.

Vous pourriez alors penser que de savoir que cette fille était dans ma classe, de me souvenir qu'elle avait essayé d'être gentille avec moi aurait pu me freiner ou m'amadouer un peu. Mais cela eut l'effet inverse. Pour une raison que j'ignore, savoir que cette fille était gentille et qu'elle avait des amis, qu'elle aimait l'école et qu'elle avait une maman et un papa et un frère et qu'ils faisaient des trucs sympas était pire que tout. Savoir que c'était elle qui construisait une nouvelle maison sur ma terre, que c'était elle qui avait coupé les arbres et que c'était elle aussi qui sillonnerait ma vallée… eh bien, je ne le supportais pas. Je ne le supportais pas au point de ne plus pouvoir ni tenir en place, ni tenir ma langue.

Parlant et gloussant toujours, Claire et son frère se rapprochèrent de l'arbre dans lequel je me tenais et ce fut la goutte d'eau qui me fit déborder. Impossible de me contenir, même si je l'avais voulu.

Je sautai de l'arbre en faisant de grands gestes et je hurlai : « Ce n'est pas votre propriété ! Allez-vous-en ! Et tout de suite ! » Et je demeurai plantée là, les bras en croix faisant barrage, montrant les dents, une expression féroce sur le visage.

Ils étaient si surpris qu'ils firent tous les deux un bond, ils levèrent les mains en l'air et leurs yeux et leur bouche se firent ronds comme des billes. Le petit garçon se mit à pleurer et, pendant un quart de seconde, une part de moi éprouva un soupçon de remords.

Mais mon nouveau cœur me souffla alors : « NON ! Ce sont eux les méchants ! Ce sont eux les intrus ! Nous ne céderons rien de plus ! » Et la part de moi qui avait des remords se referma d'un coup.

J'avais l'impression que nous étions debout là comme ça depuis des heures. J'avais les poings serrés, les genoux fléchis et le souffle fort et lourd comme celui d'une bête féroce. Je ne comptais bouger que pour attaquer.

Finalement, le visage de Claire changea : sa bouche se décontracta, et ses yeux se firent plus petits et un peu tristes. « Ida ? » demanda-t-elle, comme l'aurait dit une biche si les biches pouvaient parler, douce, délicate et un brin timide. Comme une main tendue, la paume vers le ciel.

Et la part de moi qui était pleine de remords crut à nouveau avoir son mot à dire. « Prends-la, Ida B., dit-elle. Prends la main tendue. »

Mais mon cœur dur et froid ne voulait rien entendre de cette bouillie. « NON ! cria-t-il. Personne ne rentre ! »

Et de tout mon corps, le visage levé vers le ciel, je poussai le plus féroce et le plus effrayant des hurlements, dont j'ignorais jusque-là l'existence en moi. « VOUS N'AVEZ PAS LE DROIT D'ÊTRE SUR MES TERRES ! ALLEZ-VOUS-EN ! » Je fendis et frappai l'air de mes poings qui n'attendaient que de cogner quelque chose.

Quand j'ouvris les yeux et les toisai tous deux, le petit garçon fit demi-tour et s'enfuit. Il faillit presque tomber à la renverse car il cherchait à courir plus vite que ne le lui permettaient ses petites jambes. Et je faillis éclater de rire, c'est dire à quel point j'étais méchante.

Mais Claire se tenait toujours là et elle me dévisageait.

Je soutins son regard, les yeux plissés, un sourire moqueur aux lèvres et je hurlai : « Qu'est-ce que tu attends ? Tu n'as pas entendu ? VOUS N'AVEZ RIEN À FAIRE ICI ! »

Elle me fixait toujours de ses yeux de biche, mais elle pleurait maintenant, et ne partait toujours pas comme elle était censée le faire. Je commençais à croire qu'il allait falloir faire quelque chose de radical et vite, parce que je ne pouvais pas tenir indéfiniment avec mon air féroce et mon souffle haletant.

Mais avant que je puisse me reprendre, elle me dit, s'adressant directement à mes yeux et à mes entrailles : « Tu es méchante. »

Puis elle tourna les talons et s'éloigna.

Je maintins ma position, les poings serrés, soufflant toujours comme un vieux chameau, prête à lui beugler tout un tas de trucs du genre : « C'est bien fait pour toi ! » ou « C'est ça, et ne l'oublie jamais, espèce de gros bébé ! »

Mais juste au milieu de ma poitrine, là où elle avait posé ses yeux de biche, subsista une lourdeur qui m'oppressa et me freina. « Je ne suis pas méchante. Vraiment. Reviens », s'apprêta à dire cette part de moi toute gnangnan.

Mon cœur dur-comme-de-la-pierre ne voulut cependant rien savoir. « Arrête ! » cria-t-il, et c'en fut fini des sentiments de faiblesse, de tristesse ou de regret. J'étais la protectrice de la vallée, et toute cette guimauve était inutile.

Quand je repris le chemin de la maison, à travers bois et longeant la montagne, chacun de mes pas était lourd, douloureux et martelait le sol. Chaque fois que mon pied gauche touchait terre, je répétais « J'ai », et chaque fois que mon pied droit avançait à son tour, je disais « gagné ».

Si bien que jusqu'à la maison mes pas battirent au rythme de ces mots. « J'ai… gagné… J'ai… gagné… J'ai… gagné. »

CHAPITRE 23

Ce soir-là, je me mis à table, prête à la bagarre. Je me sentais assez sûre de moi après ma victoire du matin et je me croyais capable de braver mes plus redoutables adversaires : Maman et surtout Papa.

On ne pouvait sans doute pas remonter le temps avant la maladie de Maman. Et certainement pas faire revivre ces arbres qui avaient été abattus. Mais cela ne voulait pas dire qu'il était inutile de faire souffrir ces deux personnes pour la tristesse et la destruction qu'eux et leurs décisions-totalement-inacceptables-et-leurs-paroles-qui-ne-valaient-pas-le-moindre-clou avaient infligées à la vallée et à moi aussi. Cela ne voulait pas dire que je ne pouvais pas leur montrer qu'il y avait encore quelqu'un dans cette vallée et dans cette maison qui se souvenait de ce qui était juste et bien, et que son nom était Ida B. Applewood.

Mon cœur dur et froid était au top de sa forme et il ne ferait aucun prisonnier, pas même les malades, les fatigués et surtout pas les accablés. Il ne tolérerait qu'une totale soumission qui comprenait une promesse que les choses ici allaient changer et cela dans la minute, promesse signée par toutes les parties concernées, valable pour toujours et à jamais.

J'avais tout rédigé dans l'après-midi et j'avais le document dans ma poche arrière.

« Nous soussignés, commençait-il, car j'avais consulté ce genre de truc dans l'encyclopédie, promettons solennellement qu'il n'y aura VRAIMENT PLUS :

de vente de terrains,
d'arbres abattus,
de choses tuées,
ou d'envoi d'enfant à l'école contre son gré.
EFFECTIF IMMÉDIATEMENT. »

Il y avait de la place pour les signatures et le cachet du service juridique parfaitement impartial et pour toujours inaliénable d'Ida B. tamponné en bas à droite.

J'avais aussi prévu de faire un discours à Maman et à Papa et je l'avais entièrement mémorisé. Il commençait ainsi : « J'ai deux mots à vous dire tous les deux, et tout de suite, et vous avez intérêt à ouvrir grandes vos oreilles... »

Après avoir attiré leur totale et complète attention, je poursuivrais avec des questions telles que : « Ça ne vous fait rien à vous que tout ici ait entièrement changé et que tout soit passé du plus-que-parfait au parfaitement-pire ? » « Ça ne vous fait rien que ces arbres aient été abattus et pour toujours ? » « Ça ne vous fait vraiment rien de rien du tout que je sois tout simplement malheureuse ? »

J'allais conclure avec un coup d'œil plissé en coin visant directement Papa. « Tu as dit que nous étions les gardiens de la terre, dirais-je. Tu as dit que nous devions laisser les choses en meilleur état que celui où nous les avions trouvées. Je ne crois pas que ces arbres abattus diraient que tu t'es bien occupé d'eux, si ? »

Enfin, quand les larmes couleraient et que les pardons s'élèveraient de toutes parts et que Maman et Papa me diraient : « Que devons-nous faire Ida B. ? Que faire maintenant pour réparer les dégâts ? », je sortirais alors le document de ma poche arrière.

Nous le signerions tous avec mon stylo rouge, comme si c'était du vrai sang. Et nous nous mettrions à discuter d'un plan pour remettre chaque chose à sa place.

J'entendais toujours ce « J'ai... gagné... » dans ma tête quand je déboulai dans la cuisine et que je m'assis, et me servis à manger comme d'habitude.

Lorsque nous eûmes tous fini de verser et de servir, je m'éclaircis la gorge pour préparer le terrain à une armée de mots qui la traverseraient. Je posai les mains sur la table, regardai ces deux personnes assises en face de moi, ouvris toute grande la bouche pour que les mots puissent jaillir, puissants et féroces.

Mais Maman m'interrompit.

« Ida B., ton père et moi voulons te parler de quelque chose. »

Ma bouche était toujours grande ouverte, mais elle l'était maintenant de surprise et aussi un peu de consternation parce que je n'avais pas prévu cette interruption.

« Ida B., dit Papa, nous avons pensé que le terrain au

sud qui est en jachère depuis un certain temps serait peut-être un bon endroit pour planter d'autres pommiers.

– Nous pensions le défricher et y planter des arbres, tous les trois, peut-être au printemps lorsque je me sentirai mieux, reprit Maman. Et peut-être aimerais-tu que cela soit ton verger à toi, ma chérie. Rien qu'à toi. Ce serait ton terrain, tes arbres et tes pommes. Qu'en penses-tu, Ida B. ? »

Bon, premièrement, quand on est aussi remonté que je l'étais, cela ne disparaît pas simplement parce que quelqu'un d'autre prend la parole. Et deuxièmement, je voyais bien le plan qu'ils avaient mijoté tous les deux et il était hors de question que j'y goûte.

Je n'allais pas faire comme si planter de nouveaux arbres remplacerait ceux qui avaient été abattus. Je n'allais pas prétendre que le verger-super-flambant-neuf-d'Ida B. me ferait jamais oublier Bernice ou Winston ou Jacques. Et qu'ils m'offrent une parcelle de terre et quelques arbres que je ne connaissais même pas encore n'allait pas effacer les mois de mort, de destruction et d'autant d'amour que de beurre en branche que j'avais endurés.

En un quart de centième de seconde, mon cerveau transforma le long discours que j'avais passé tout l'après-midi à rédiger en une seule phrase qui sortit de ma bouche haut et clair.

« Il est impossible de rattraper les terribles événements qui ont eu lieu cette année », dis-je.

Et je crus que c'était tout, mais ça faisait tellement de bien que je poursuivis.

« Vous ne ramènerez pas Winston ou Bernice et vous ne

pourrez pas m'acheter avec un nouveau verger, continuai-je, la voix de plus en plus forte au fil des mots. Et vous ne pourrez pas changer le mal en bien avec un lopin de terre et quelques arbres. » Mes mains s'agitaient maintenant dans tous les sens et mes yeux s'étaient plissés en une fente des plus haineuses.

Puis je réfléchis à la chose la plus méchante que je puisse leur dire. « Et qui me dit que vous ne vendrez pas le terrain malgré tout ? hurlai-je. Qui me dit que vous ne laisserez pas ces nouveaux arbres être abattus aussi ? Vous avez déjà manqué à votre parole un million de fois lorsque vous avez vendu les terres et que vous m'avez renvoyée à l'école. Alors pourquoi vous ferais-je confiance ? »

Et, comme en début de journée, je respirais fort, l'air féroce, les gens me fixaient et je ne n'étais pas très sûre de ce que j'allais faire ensuite.

Mais Papa trouva la solution pour moi.

Il frappa furieusement avec sa fourchette sur la table qui trembla, les verres de lait vacillèrent et je bondis sur ma chaise. Il avait les poings serrés, le visage rouge et on voyait presque le sang qui battait, rapidement, dans les grosses veines saillantes qui couraient le long de ses bras et de ses tempes.

Sans m'en rendre compte, je m'étais redressée, mes mains agrippées de chaque côté de ma chaise, au cas où il déciderait que ma présence n'était plus d'aucune utilité à cet endroit précis et qu'il allait m'aider à déguerpir.

« Ida B. », dit-il sans desserrer les dents et sans remuer les lèvres, avec l'air de s'adresser à son assiette alors qu'il s'adressait à moi.

Lorsque quelqu'un parle et qu'il ne bouge pas les lèvres, ce n'est jamais bon signe. Je reculai ma chaise et dirigeai mes pieds vers la sortie au cas où ils auraient besoin de piquer un sprint dans cette direction-là.

Papa inspira profondément. On pouvait entendre l'air s'engouffrer dans ses narines et il l'expulsa comme un sifflement à travers ses dents. Puis il prit une autre inspiration, moins bruyante celle-ci. Sa couleur passa du violet foncé au magenta. Il continua de respirer ainsi jusqu'à ce que son visage redevienne rouge clair puis rose vif, et il me regarda.

« Ida B. », dit-il à nouveau, avec cette fois ses mains à plat sur la table. « Depuis que ta mère est tombée malade, j'ai parfois été si furieux que j'ai cru pouvoir crier si fort et si longtemps que la montagne se transformerait en une pile de petits cailloux. Et j'ai parfois été si triste que j'ai cru que si je m'étais mis à pleurer, jamais je n'aurais pu m'arrêter. »

Papa fit une pause, mais seulement pour reprendre quelques inspirations purifiantes. « Aucun de nous n'aime ce qui se passe ici, Ida B., mais nous essayons de faire au mieux, poursuivit-il. Si nous restions furieux ou tristes tout le temps, les choses seraient tout aussi dures, mais en plus de ça nous serions malheureux. »

Il baissa les yeux et fixa à nouveau son assiette et Maman posa sa main sur son bras et se mit à le caresser.

J'avais à peine bougé depuis que Papa avait frappé avec sa fourchette sur la table. J'étais toujours assise là comme une statue de marbre de Détressa, sainte patronne de la crainte et de la stupeur : la bouche et les yeux grands ouverts, les bras et les jambes écartés, raide comme un piquet.

Finalement, Maman rompit le silence.

« Nous savons que cela a été dur, ma chéri, dit-elle, me regardant mais se tenant toujours à Papa. Nous aurions probablement dû en parler plus souvent. Je suppose que nous avons tous été absorbés par nos propres soucis et nos inquiétudes, et nous pensions que d'en parler ne t'aiderait pas du tout. »

Elle sourit et posa sa paume sur ma joue, prenant mon visage dans le creux de sa main. « Je suis désolée de tous ces rudes changements, Ida B. Nous avons fait ce qui nous semblait le plus juste étant donné les circonstances. »

Maintenant, il y avait bien une part de moi qui savait que ces personnes qui étaient ma maman et mon papa faisaient de leur mieux pour rétablir les choses. Une part de moi savait qu'ils me faisaient comprendre qu'ils tenaient aux arbres, aux terres et à moi aussi. Cette même part savait qu'il y avait un truc qui s'appelait de l'amour, assis à cette table juste en face de moi, un câlin si j'en avais voulu un, et même une discussion, une tentative et de chaleureuses sensations au moment même où je dirais : « D'accord. » Même en le chuchotant seulement.

Mais cette part de moi était trop petite pour l'instant. Et mon cœur l'avait reléguée derrière mon genou gauche, sans aucun droit à la parole.

Mon cœur dur et froid, lui, avait le droit. Il me dit, haut et fort : « Ne laisse pas rentrer ces gens à nouveau. »

Je regardai donc Maman et Papa droit dans les yeux, reculai ma chaise et mis des milliers de kilomètres de distance entre nous.

Sans demander la permission de sortir de table, je me levai, tournai les talons, montai dans ma chambre et fermai bien la porte derrière moi.

« Bien joué, me dit mon cœur. Tu as encore gagné. »

Mais je me réveillai au milieu de la nuit avec une terrible douleur derrière le genou gauche. Et elle persista tout le reste du week-end.

CHAPITRE 24

Même si on gagne une bataille, tant que l'ennemi a un cœur qui bat et un cerveau qui fonctionne, il faut s'attendre à des représailles.

Donc pendant tout le reste du week-end et pendant tout le trajet en bus du lundi matin, je me préparais à Claire et à son châtiment. Claire était intelligente, elle avait des amis et elle allait, j'en étais sûre, trouver un moyen de se venger de moi pour leur avoir fait peur, à elle et à son frère.

Je n'ai pas besoin de vous faire un dessin de ce qui arrive lorsqu'une jeune fille persuasive et appréciée comme Claire décide de s'en prendre à une jeune fille solitaire, mal élevée et sans-l'ombre-d'une-amie comme moi, dans un établissement tel que l'école élémentaire Ernest B. Lawson. Tout dépendait du niveau de ruse et de cruauté de Claire et du degré de souffrance que je méritais selon elle, mais la période de malheur et de mortification escomptée pouvait aller d'une semaine au restant de mes jours.

J'essayais d'imaginer toutes les possibilités qui s'offraient à Claire, surtout les pires, les plus insupportables, afin de trouver le moyen d'éviter la douleur et l'humiliation totale, ou au moins de me convaincre que ce n'étais pas si grave que ça.

« Elle te traitera peut-être de noms d'oiseaux », me mis-je en garde.

Puis je l'imaginai me dire des choses du genre : « Ça sent comme si Ida avait ramené la campagne à l'école avec elle. Tu nourris les cochons ou tu te roules aussi dans la boue avec eux, Ida ? », devant une vingtaine d'enfants environ.

Je m'entraînai en me disant à moi-même : « Je m'en fiche. Je m'en fiche si Claire dit que je pue devant vingt élèves. Je m'en fiche s'ils rient tous de moi et m'inventent des noms méchants. »

Et, dans ma tête, je me retournais simplement et lui lançais par-dessus mon épaule : « On n'a pas de cochons, Claire. »

J'imaginai Claire me faisant trébucher exprès-par accident alors que nous nous mettions en rang pour rentrer après la récréation, si bien que toutes les classes qui rentreraient et toutes les classes qui sortiraient me verraient étalée de tout mon long, face contre terre, les bras et les jambes en croix comme une étoile de mer à quatre branches, avec du sang coulant de mes genoux et de mes coudes, une bosse de la taille d'un melon se formant sur mon front.

« Je m'en fiche si tout le monde croit que je suis maladroite », me rassurai-je. Puis je me visualisais faisant très attention et guettant partout le moindre bout de corps qui dépasserait.

J'imaginai environ deux cent soixante-seize différents

scénarios possibles que Claire aurait mis à exécution et comment me protéger d'une déchéance complète et absolue dans les deux cent soixante-seize cas.

Personne, pensai-je, ne peut déjouer mes plans.

Quand j'entrai en classe le lundi, je gardai la tête haute comme si de rien n'était. Mais j'examinai la pièce du coin de l'œil, faisant des allers-retours comme un dragueur de mines à la recherche de Claire la Vengeresse.

Je la repérai à sa table et à cet instant-là nos deux regards en coin se croisèrent, s'arrêtèrent, notant que l'ennemi se trouvait maintenant dans la ligne de mire, puis ils se détournèrent. Je marchai jusqu'à ma place. Je vérifiai discrètement ma chaise pour voir s'il n'y avait pas d'objets métalliques tranchants, puis mon casier pour voir s'il n'y avait pas de chewing-gum collé, de vers ou de légumes pourris. Rien.

Je m'assis et attribuai un œil et une moitié de cerveau à Mlle W. et consacrai l'autre œil et la part la plus puissante et la plus calculatrice de mon cerveau à la surveillance de Claire.

Mais la première partie de la matinée se déroula sans encombre et sans le moindre soupçon de représailles.

Claire ne m'adressa aucune grimace, ne fit aucune messe basse avec ses amies, ne pointa pas son doigt dans ma direction. La seule différence par rapport aux jours précédents était qu'elle ne me regardait jamais droit dans les yeux. Elle détournait toujours son visage comme si j'étais la scène d'un abominable accident qu'elle ne pouvait se résoudre à voir, même un court instant.

À dix heures trente, je décidai qu'elle réservait son coup

pour la récréation : surveillance adulte moins assidue, possibilité de rameuter sa bande rapidement, nombreux outils blessants à disposition. J'occupai le restant de la matinée à dessiner une carte de la cour de récréation et à repérer plusieurs issues possibles.

L'endroit le plus sûr était encore mon perchoir sur les marches. Si je m'asseyais au plus près du sol, je pourrais, en m'avançant, sauter d'un côté ou de l'autre des marches, ou bien si j'avais le temps de les ouvrir, disparaître par les grandes portes.

Mlle W. vint comme d'habitude aux nouvelles et je faillis ne pas l'entendre ni la voir, car j'observais Claire avec minutie grâce à ma vision périphérique.

Puis Ronnie me rendit une petite visite et me demanda pour la centième fois si je voulais jouer au ballon prisonnier. Et, pour la centième fois, je lui répondis : « Non merci, Ronnie. »

Mais cette fois-ci, au lieu de le dire à voix basse pour que personne ne m'entende parler à quelqu'un de manière amicale, je le dis à haute voix parce que j'étais très préoccupée. Ronnie flaira un changement.

« Qu'est-ce que tu fais ? demanda-t-il.

– Rien, répondis-je, irritée.

– Tu fais quelque chose, là. »

Bon, si j'avais voulu dire quoi que ce soit à quelqu'un, ce qui n'était pas le cas, j'aurais choisi Ronnie, je pense. Mais si je lui révélais la moindre petite chose comme « Je surveille Claire », je serais obligée de lui dire de nombreuses choses, moyennes et grandes, telles que la raison pour laquelle je la surveillais et aussi ce qui s'était passé au cours du week-end. Et je n'étais pas encore prête à ce que Ronnie découvre cette part-là de moi.

Je lui dis alors simplement : « Pas maintenant, Ronnie », et il me regarda une seconde un peu fâché et s'en alla.

Mais il me semblait a priori préférable d'avoir légèrement contrarié Ronnie que de me retrouver complètement humiliée et bien mal en point parce que j'avais baissé ma garde le quart d'un tiers de seconde.

Claire me fit marcher pendant toute la récré, faisant comme si elle n'avait rien derrière la tête. Quand ce fut l'heure de retourner en classe, j'étais si fatiguée d'avoir tant surveillé et planifié que je rêvais seulement de poser ma tête sur la table et de faire une sieste. Je supposai pourtant qu'un moment de faiblesse et de fatigue de ma part était exactement l'invitation au combat qu'elle attendait.

Je redressai donc mon menton d'une main et me pinçai la cuisse une dizaine de fois, très fort même, me maintenant en éveil tout le reste de cet après-midi Claire-et-sans-encombre.

Je commençais à me rendre compte de son génie.

Claire ne fit aucune tentative de représailles ni le mardi, ni le mercredi, ni le jeudi, ni même le vendredi. Je m'épuisais à force de surveiller, de guetter, de planifier et elle ne dévoilait pas le moindre signe de complot pour me punir.

Si elle distribuait des copies, elle ne froissait pas la mienne ni ne la jetait par terre. Elle la déposait juste sur ma table en regardant vers le vestiaire. Elle n'inscrivit rien à mon sujet sur les murs des W.-C., ne fourra pas de trucs gluants dans les poches de mon blouson et ne demanda pas à sa mère d'appeler ma maman pour parler de mon comportement. J'étais consternée.

En vérité, je voulais que Claire riposte. Je voulais qu'elle me prouve, ainsi qu'à Maman, à Papa, à Mlle Washington et à l'univers-sans-frontières, qu'elle avait bien mérité d'être un peu secouée et même plus. Je voulais qu'on me fasse remarquer souvent et clairement que le monde avait besoin d'être protégé de gens tels que Claire et qu'il avait besoin de moi pour le protéger.

Claire ne me rendait pas la tâche facile.

CHAPITRE 25

Il y avait une petite idée qui essayait d'attirer mon attention et elle grandissait chaque jour un peu plus même si je refusais de lui accorder le moindre intérêt la plupart du temps.

Elle attendait donc que je baisse ma garde pour se glisser à l'avant de mon cerveau. Puis elle commençait avec de petites questions déguisées-style-presque-sympa-et-soit-dit-en-passant telles que : « Et si Claire n'était pas aussi mauvaise et foncièrement méchante que tu le crois, Ida B. ? »

Mais, si je cédais du terrain à cette idée et la considérais un tant soit peu, elle me relançait avec des questions bien plus importantes et bien plus difficiles et tout simplement agaçantes. « Et si, demandait-elle, lorsque tu as effrayé Claire et son frère, tu t'en étais prise aux mauvaises personnes, pour de mauvaises raisons et au mauvais moment, Ida B. ? » ou « Et si, dans les bois samedi dernier, tu n'étais pas la super-conquérante et vertueuse héroïne que tu croyais, Ida B. ? Et si cette fois tu étais allée un peu trop loin ? »

Et si je ne coupais pas court à tout ça sur-le-champ, elle

m'assenait le coup de grâce, sachant pourtant pertinemment qu'elle n'était pas la bienvenue. « Ida B., me disait-elle, et si Claire avait raison et que tu étais tout simplement méchante ? »

Je décidais alors que je n'avais pas l'intention de répondre à cette question-là à ce moment-là.

Mais ce n'est pas parce qu'on a fait taire une idée qu'elle disparaît pour autant. Et cette idée était bien rusée. Elle était cachée et silencieuse, mais prête à attaquer à la minute où je m'exposais. Et elle me touchait là où j'étais le plus vulnérable.

Mlle Washington avait décidé que le lecteur surprise était une bonne idée et elle avait donné à d'autres élèves, y compris la Grosse-Tête, l'occasion de lire. Mais j'aimais l'idée moi aussi, car cela voulait dire qu'un jour ça serait à nouveau mon tour, et j'avais vraiment hâte de recommencer. Mais je me gardais bien de le lui faire savoir.

Ainsi, lorsque Mlle W. dit, un mardi, une semaine et demie environ après que j'eus rempli ma mission pour sauver la vallée de l'invasion : « Ça va bientôt être à nouveau ton tour, Ida. Que dirais-tu de lire le prochain chapitre du livre ? », j'avais prévu une réponse depuis longtemps.

« D'accord », avais-je décidé de répondre, pas trop enthousiaste, mais sans laisser de place à un possible malentendu concernant ma motivation non plus.

C'est ce que j'avais décidé, c'est ce que ma bouche s'apprêtait à dire et ce que mon corps était prêt à faire. Mais au lieu de cela, mon cerveau fit la chose suivante : il pensa à Claire.

Je pensai à cette magie qui opère quand on raconte bien une histoire et au fait que tous ceux qui l'entendent aiment non seulement l'histoire, mais vous aiment aussi un peu pour l'avoir si bien racontée. Tout comme j'avais aimé Mlle Washington, et cela malgré moi, la première fois que je l'avais entendue. Quand on entend quelqu'un bien raconter une histoire, on ne peut s'empêcher de penser qu'il y a du bon en lui, même si on ne le connaît pas.

Et je me doutais que cela valait aussi pour moi. Que tous les enfants qui ne me connaissaient pas, et même Mlle Washington qui me connaissait à peine, pourraient imaginer de bonnes choses à mon sujet juste parce que, en lisant, je faisais monter et descendre ma voix, lente ou rapide, forte ou douce. Juste parce que je donnais un petit peu de vie à cette histoire.

Mais je savais qu'il y avait parmi eux quelqu'un qui avait vu une part de moi qu'aucun autre n'avait vu. Elle serait assise là, à entendre ma voix s'arrêter puis reprendre, glisser et vibrer mais n'en serait pas impressionnée pour autant. Elle ne croirait pas en ma bonté juste parce que je savais bien raconter une histoire.

« J'ai vu la véritable Ida, dirait Claire, et elle était cruelle, égoïste et acide comme un citron. »

Elle savait que j'étais méchante. Et soudain, je le sus aussi.

Et je sus que ce jour-là, je ne pourrais pas lire. Quelqu'un qui a une pierre dure et froide à la place du cœur et qui aime ça, qui ne regarde pas les gens et ne dit pas « Merci » ou qui effraie les enfants et s'en fiche qu'ils pleurent, pour qui ça importe peu que le monde entier pleure parce que, au moins, il saura aussi ce que ça fait de pleurer, eh bien… Même si je pouvais lire les mots à haute voix, les rendre aigres et doux, longs et courts, hauts et bas, la seule chose que j'entendrais dans ma tête serait : « T'es méchante. » Et je savais que je ne le supporterais pas.

« Je ne peux pas. Je ne me sens pas bien, dis-je à Mlle W.

– Tu es sûre ?

– Oui, m'dame », dis-je à mes pieds car je ne parvenais pas à regarder Mlle W. dans les yeux.

Mlle W. posa sa main sur mon bras. « Alors une autre fois, Ida.

– Oui, m'dame », dis-je à voix basse.

Ma tête était si lourde que je dus la poser sur ma table et mon corps eut si froid que je dus l'enlacer de mes bras. Mes yeux étaient si fatigués que je dus les fermer complètement, si bien que tout ne fut plus que bleu nuit.

Patricia lut, et je fus contente d'entendre le son de sa voix dans tout ce bleu. Pas tant pour les mots, mais pour la voix.

CHAPITRE 26

Le mercredi, pendant la récréation, Mlle W. s'assit comme d'habitude à côté de moi sur les marches. Et comme d'habitude, elle me demanda : « Tu as envie de parler de quelque chose, Ida ?

– Non, m'dame », dis-je sans hésiter, car c'est ce que je répondais d'habitude.

Et, Dieu merci, Mlle W. s'attardait toujours quelques minutes de plus. Parce que je me disais que, si je ne parlais pas à quelqu'un assez vite, tous ces trucs que je gardais en moi allaient éclater en un hurlement, exploser de toutes parts pour trouver un peu d'air et une oreille attentive. Des bouts hurlants d'Ida B. éclabousseraient les vitres, les cheveux des élèves et atterriraient sur les sandwichs qu'il-est-strictement-interdit-de-manger-dehors.

« Mademoiselle Washington, dis-je.

– Oui, Ida. »

Nous regardions toutes les deux devant nous, personne n'aurait pu croire que nous étions en train de parler.

« Vous est-il déjà arrivé de faire quelque chose qui

semblait juste sur le moment, mais qui après coup vous semblait un peu faux ? »

Mlle W. attendait. Comme si elle me laissait plein de temps pour finir, au cas où quelque chose d'important me viendrait à l'esprit avec un temps de retard.

« Oui, ça m'est arrivé, Ida », dit-elle quelques instants plus tard.

Et nous laissâmes toutes deux ce sentiment de contentement s'imprégner en moi.

Puis je lui demandai : « Avez-vous déjà fait quelque chose parce que vous étiez vraiment fâchée, si fâchée et si triste qu'il fallait tout essayer pour rendre les choses meilleures et, sur le moment, cela vous semblait parfait, mais après coup pas très correct ? »

Cette fois Mlle W. attendit encore plus longtemps. Mais là, au lieu d'apprécier cette attente, je me demandai si elle ne venait pas de se rendre compte qu'elle ne voulait peut-être pas rester assise si près de quelqu'un comme moi.

« Oui, cela m'est arrivé », dit-elle finalement, et lorsque du coin de l'œil j'observai son visage, elle avait l'air triste.

Je fis une pause, car le gros lot était sur le point de débouler, mais j'avais peur de le dire à haute voix, peur que quelqu'un sur terre l'entende et que cela devienne alors réel. Mais ça grondait toujours à l'intérieur de moi, et je sus qu'il me fallait le dire ou bien une pluie de confettis de chair et d'os d'Ida B. s'abattrait sur la cour de récré.

« Avez-vous déjà fait quelque chose car vous étiez si furieuse et si contrariée que vous en bouillonniez de rage et que vous deviez à tout prix le libérer, et cela vous semblait une bonne idée sur le moment, mais après un certain temps cela ne semblait pas si bien ? Et ce que vous avez fait, eh bien ça... ça... » Maintenant je fixais très, très fort la maison bleue de l'autre côté de la rue, sans même le moindre bout de Mlle W. dans mon champ de vision. « ... Ça a fait pleurer des gens, et ils pensent que vous êtes méchante. » Ma voix était en train de se briser et de se casser, je la laissai donc se reposer un instant.

« Et vous ne vouliez vraiment faire de mal à personne, poursuivis-je, un peu plus doucement. Vous vouliez juste que les mauvaises choses s'arrêtent. »

J'inspirai profondément et regardai mes chaussures, et je laissai se déverser tout ce qui restait à dire. « Et après l'avoir fait, vous ne l'avez dit à personne d'autre et maintenant vous vous sentez comme un lavabo bouché plein d'eau croupissante et de cheveux et de poils de chat et, si personne ne cherche une ventouse rapidement, cette vieille eau sale risque de complètement déborder partout. »

Cela devait être la question la plus longue que j'avais jamais posée et il me fallut une minute entière pour reprendre ma respiration après avoir terminé. Mais à l'instant même où ces mots sortirent de ma bouche, je me sentis tout de suite bien mieux que je ne l'avais été depuis des siècles. Cet espace dans ma poitrine que mon cœur comblait jadis se réchauffa et parut plus animé qu'il ne l'avait été depuis bien longtemps. Et j'aimais ça.

Mais j'avais toujours peur de ce que Mlle W. pourrait penser et j'attendais qu'elle dise quelque chose. Je la regardai du coin de l'œil, très inquiète.

Je l'observai poser ses coudes sur ses genoux. Puis elle joignit ses mains. Elle laissa retomber sa tête et fit des va-et-vient du bout de sa chaussure droite comme Ronnie.

« Ida, dit-elle, sombre et lente comme l'eau au fond d'une rivière, j'ai presque fait la même chose. »

Eh bien, j'étais tellement soulagée de voir que Mlle W. comprenait et était restée là assise à côté de moi que j'eus soudain l'impression que mon cœur était libre et léger et qu'il s'envolait et m'emportait avec lui.

Je ne décollai cependant du sol que de cinq centimètres et j'atterris une fois de plus sur le béton, car lorsque je me tournai complètement pour regarder Mlle W., elle fixait la maison bleue et son visage était triste et fatigué et semblait avoir vieilli de dix ans en l'espace de dix secondes. Elle se souvenait et je me souvins alors moi aussi.

La tristesse me submergea et je sus qu'il fallait que je dise quelque chose ou nous nous retrouverions toutes les deux coincées ensemble dans cette tristesse au moins jusqu'à la fin de la récréation et peut-être à jamais.

« Qu'est-ce que vous avez fait, alors ? » demandai-je.

Mlle W. contempla ses mains jointes comme si elle comptait y trouver une réponse, si seulement elle parvenait à les ouvrir.

« Eh bien, Ida, dit-elle d'une voix calme, grave et avec une assurance digne des grandes vérités, j'ai tout simplement dû dire : "Je suis désolée." »

Et ce fut tout.

Ce fut tout ce qu'elle dit, tout ce que nous dîmes l'une comme l'autre jusqu'à la fin de la récréation. Elle resta assise là à mes côtés, toutes les deux le regard dans le vague, clignant parfois des yeux, et je laissai mon cœur s'imprégner de ses paroles. Au bout de quelques minutes, un sentiment de paix jaillit et me remplit entièrement, si bien que ma tête semblait légère et tournait même un tout petit peu. Lorsque la cloche retentit, nous sursautâmes légèrement toutes les deux.

Mlle W. posa les mains sur ses genoux et se releva. « Bien, dit-elle, rentrons maintenant.

– Oui, m'dame », dis-je, me relevant aussi. Nous regardions toujours droit devant nous.

Nous nous dirigeâmes vers la classe, elle me devançait un peu. Je pouvais sentir le souffle de son corps sur mon visage et l'odeur de beurre de cacahuète et de fleurs d'été.

CHAPITRE 27

J'élaborai un plan sur-le-champ.

Je m'excuserais, décidai-je, mais je n'abandonnais pas pour autant ma résolution d'éviter toute forme de douleur ou d'humiliation publique à l'école élémentaire Ernest B. Lawson.

Ça voulait dire rapido. Ça voulait dire pas d'amis, ni élèves, ni profs, ni parents, ni frères ou autres caissières de supermarché dans les environs ou à portée de voix.

Ça voulait dire de multiples issues et plans de secours.

Disons que Claire pouvait répondre à mon « Désolée » de mille et une façons. Et disons que cinquante pour cent des réponses possibles seraient plaisantes et aimables comme : « C'est bon, Ida. Pas de problème. » Des centaines de réponses amicales, cordiales ou simplement tolérables que Claire me donnerait, je ne pouvais en concevoir que trois. Et selon moi, je n'entendrais aucune des trois.

Je n'avais cependant aucun mal à imaginer les méchantes réponses, celles où les foules riraient, où différentes parties du corps disparaîtraient, où des choses pourries et nauséabondes se retrouvaient dans mes effets personnels.

J'entendais Claire me lancer : « T'es un serpent, Ida Applewood », devant une foule de centaines de personnes. « Un serpent visqueux, vert et pervers. Retourne ramper dans ton trou et avale des souris infestées de vers infectés d'une maladie mortelle pour que tu l'attrapes et que ta peau verdisse et se fripe, que tes yeux sortent de leurs orbites et explosent, et que tu meures de la manière la plus horrible et la plus douloureuse qui soit. »

Non, je n'avais aucun problème à imaginer les méchantes réponses. Et comme la plupart des méchantes impliquaient toutes une forme ou une autre de dégradation totale et complète devant un large groupe d'adultes et d'enfants, ma priorité était de trouver un moyen d'aborder Claire seule.

Mais on n'est jamais seul à l'école. Jamais, sauf quelques secondes peut-être. Sûrement pas en classe ou dans la cour de récré, ni au secrétariat, à l'auditorium ou au gymnase. Même aux toilettes, il y avait toujours un petit de C.P. avec une petite vessie qui devait évidemment y aller en même temps que vous.

Seul le placard du gardien laissait espérer un semblant d'intimité, mais cela voulait dire voler une clé et kidnapper Claire, fermer la porte sans qu'elle se mette à crier à tue-tête, la convaincre d'une manière ou d'une autre de ne pas me dénoncer ou de ne pas me taper dessus, et présenter aussi mes plates excuses. Et le tout en moins de cinq minutes.

Après avoir mûrement considéré mes options, je décidai que les toilettes représentaient ma meilleure chance de réussite. Seules deux personnes pouvaient y aller en même temps. Et si j'arrivais à faire en sorte que ces deux personnes soient Claire et moi et si à ce moment-là toutes les personnes à petite vessie se trouvaient comme par hasard dans le gymnase ou à la cantine, je parviendrais peut-être à partager avec elle un instant de solitude totale. Juste assez pour un rapide : « Je suis désolée ».

Au lavabo ou, encore mieux, dans le cabinet d'à côté, je lancerais à travers la cloison métallique de séparation : « Claire ?

– C'est qui ?

– Ida.

– Qu'est-ce que tu veux ?

– Je suis désolée pour l'autre jour dans les bois. »

Et le tour serait joué. Elle pourrait claquer la porte, tirer la chasse d'eau jusqu'à inonder la cuvette, cracher par-dessus la cloison. Je m'en ficherais. J'aurais fait ce qu'il fallait, et je m'en retournerais en classe.

CHAPITRE 28

Si vous comptez intercepter quelqu'un aux toilettes, vous avez, au mieux, deux chances par jour environ : une le matin et une l'après-midi.

Mais le jeudi matin, Claire me roula. On était en plein temps libre, quand on a le droit de se promener dans la classe sans demander l'autorisation. Aussi, au lieu de lever la main et de demander, elle alla voir Mlle W. directement à son bureau, lui parla et quitta la classe. Le temps que je me rende compte de ce qui s'était passé, Judy Stouterbaden avait aussi demandé la permission et c'était complet.

La matinée était gâchée. Je me concentrai sur l'après-midi.

Après le déjeuner, pendant l'heure de lecture silencieuse, dès que Claire leva la main, je l'imitai. En faisant des petits signes pour que ça ne passe pas inaperçu.

« Oui, Claire, dit Mlle W.

– On doit lire l'histoire jusqu'au bout ou jusqu'à la fin du chapitre ? »

Ce n'était pas la question que j'avais espérée. Je baissai brutalement le bras et fourrai ma main sous la table afin que Mlle W. en oublie l'existence.

« Jusqu'à la fin, Claire », répondit Mlle W. Puis elle se tourna vers moi. « Tu avais une question, Ida ? »

Maintenant, si je disais : « Non », une Claire-voyante s'apercevrait de quelque chose et ce ne serait pas bon. Mais je n'avais pas prévu de plan pour parer à une telle éventualité. Je fis de mon mieux.

« Hum, je me demandais en quelle classe il était nécessaire de savoir écrire "sinusoïdal" ? »

Vingt têtes se tournèrent pour voir qui posait une question pareille. Vingt cerveaux retournèrent cette question pour en faire une blague bien savoureuse. Vingt corps, j'en étais sûre, se préparaient à me sauter dessus dès que j'aurais franchi le seuil de la classe à quinze heures. Mes efforts pour éviter l'humiliation paraissaient anéantis.

Mlle W. sourit. « Je ne sais pas si "sinusoïdal" est sur une liste d'orthographe particulière, Ida. Pourquoi ? »

Paralysée, le visage en feu, je ne pouvais que la regarder, encore sous le choc de ce que je venais de faire. Mlle W., Dieu merci, n'insista pas.

Toujours secouée, je ne remarquai rien lorsque, environ deux minutes plus tard, Claire leva la main, posa une autre question et quitta la classe. Je commençais tout juste à fonctionner à nouveau de manière proche-du-presque-normal quand je la vis revenir.

À quatorze heures quatorze, la dernière chance d'atteindre mon objectif ce jeudi-là s'était évanouie.

Le vendredi, je ne quittai pas Claire d'une semelle, toujours à huit pas et demi environ derrière elle. Lorsqu'elle survola le coin bibliothèque à la recherche d'un livre, je taillai mon crayon jusqu'à ce qu'il ne reste qu'une pointe de mine et la gomme. Chaque fois qu'elle s'approcha du bureau de Mlle W., je me mis en position de départ : les jambes pliées, la jambe droite en avant, les pieds prêts à piquer un sprint, les bras prêts à fendre l'air.

À dix heures vingt-sept, Mlle W. demanda : « Ida, pourrais-tu apporter ce formulaire au secrétariat, s'il te plaît ? »

Là, c'était vraiment pas le bon moment. Mon corps s'affaissa et je lui lançai un regard qui disait : « Je suis vraiment obligée ? » mais sans les mots.

« Ida, s'il te plaît. » Elle tendit le bras, le formulaire à la main, et sa tête se remit au travail.

Dès que je fus dans le couloir, je courus le plus vite possible jusqu'au secrétariat, et ralentis le pas à trois mètres de la porte, déposai le formulaire et retournai en classe à toute vitesse. Ma tête fit presque un tour complet sur elle-même à la recherche de Claire. Et ça n'avait pas raté, comme je le craignais, elle avait disparu.

Je sentis un petit souffle dans ma nuque, je me retournai et elle était là, revenant de son excursion matinale.

Claire n'y alla pas de l'après-midi. Je guettai et j'attendis, mais elle attendit plus longtemps.

Vingt minutes avant la fin de la journée, je me rendis compte que j'avais moi-même envie d'aller aux toilettes. D'urgence. J'avais été si concentrée sur Claire que je n'avais pas remarqué la pression qui montait, et il était hors de question que je tienne jusqu'à la maison, cahin-caha dans le bus sur la route cabossée.

Mlle W. me donna sans attendre le signal prêt-feu-partez. Puis je fis le on-rase-les-murs-rapido-sans-faire-ni-vagues-ni-remous jusqu'aux W.-C., je réglai mes petites affaires, j'ouvris la porte des toilettes requinquée à cent pour cent et je sursautai jusqu'au plafond.

Claire DeLuna était debout juste devant moi, les bras croisés, adossée au lavabo. Elle me regardait fixement et elle m'attendait, seule, ce que j'avais moi-même tenté de faire toute la semaine. Si j'avais été un peu moins choquée, je me serais retournée pour refermer la porte des toilettes derrière moi, mais j'étais pétrifiée. J'étais la statue de l'Étonnement, la Vénus de la consternation.

Elle m'avait doublée.

« Pourquoi est-ce que tu me suis ? » demanda-t-elle.

Ma bouche, qui était grande ouverte, se ferma une seconde, puis renonça et demeura béante.

« Est-ce que tu essaies de me faire un autre truc méchant ? » dit-elle.

En fait, je m'étais tellement focalisée sur l'idée de me retrouver seule avec Claire et j'étais si terrassée par son intelligence suprême et par le fait qu'elle ait pu penser que je l'avais suivie uniquement pour lui faire du mal, que j'en avais oublié ce que je voulais lui dire.

Alors que je restais là debout, les bras ballants, dodelinant de la tête, la bouche bafouillant « Je... je... je... », Claire tourna les talons.

Et en franchissant le seuil des toilettes, elle me cria : « Laisse-moi tranquille ! »

J'en étais donc là. Une semaine entière à planifier, à faire mon maximum, et tout était encore pire qu'avant.

Il plut cet après-midi-là et toute la soirée, le genre de pluie qui, lorsqu'elle vous touche, vous pique la peau. Et cela me semblait parfaitement adéquat.

CHAPITRE 29

Le samedi matin, j'étais assise sous le porche de l'entrée, je n'attendais absolument rien et je ne voulais absolument rien faire. Rufus était installé à mes côtés depuis un moment, espérant que j'avais autre chose que tout ce désarroi en tête. Mais il en eut assez d'attendre et s'en alla de son côté, laissant un petit océan de bave à l'endroit où il avait été assis.

Au moment même où j'avais décidé de retourner me coucher pour essayer de recommencer la journée depuis le début mais cette fois l'après-midi, j'aperçus la grande voiture blanche sur la route qui tourna à gauche au croisement. Et je sus tout de suite ce que j'avais à faire.

Pas de plans. Pas de plan-pour-éviter-douleur-et-humiliation. Passer à l'action simplement et sans détour.

Dès que la voiture blanche disparut dans l'allée des DeLuna, je me levai et me dirigeai à travers les prés, puis je suivis le chemin au pied de la montagne.

Je traversai le verger, regardant droit devant moi, sans hâte ni lenteur. Comme si j'étais en route pour le dénouement final. Oui, ils étaient nombreux et moi j'étais toute seule. Oui, ils pouvaient me tendre un piège dont je ne sortirais peut-être pas indemne. Mais j'allais encaisser ce que ces gens avaient à me dire, car j'allais de ce pas faire mon devoir.

Je m'arrêtai juste avant de m'avancer sur les terres qui appartenaient désormais aux DeLuna et j'inspirai profondément en franchissant cette frontière invisible.

Et Claire était là, devant moi, elle me regardait, elle m'attendait. Sa mère et son frère étaient accroupis près de la maison à planter de petits arbustes.

Clump… clump… clump, voilà cette fois l'unique son que faisaient mes pas alors que je me dirigeais vers Claire, les bras écartés de chaque côté, les paumes de mes mains visibles, pour bien lui faire comprendre que je ne venais pas pour me battre, même s'il y avait encore des tourments et autres tortures qu'elle tenait à m'infliger.

La mère de Claire m'aperçut et se releva, s'essuya les mains et m'observa approcher de Claire. Puis le monde entier s'arrêta, sauf nous deux.

« Claire, dis-je, me forçant à la regarder dans les yeux, je suis désolée de t'avoir effrayée dans les bois. Je suis désolée d'avoir été méchante avec toi. Je t'ai suivie à l'école pour pouvoir m'excuser. Je… je… » Et voilà que j'étais encore là à blablater. Devais-je lui parler de Maman et des arbres et de l'école et de tout le reste ? Mais si je lui expliquais tout, par où commencer ?

Puis je repensai à Mlle W. et je sus que tout cela n'avait pas vraiment d'importance.

« Je suis tout simplement désolée », dis-je.

Parfois, au printemps, il y a des jours où le ciel se partage entre le soleil le plus chaud et lumineux et les nuages les plus sombres et pluvieux qui soient. Tout au long de la journée, vous vous demandez : « Va-t-il pleuvoir ? Va-t-il faire beau ? » Et c'est ce que je me demandai alors, en observant le visage de Claire.

Tout était réuni, mais rien ne se passait, dans un sens ou dans l'autre. Je ne pouvais cependant pas rester là à attendre le verdict, car j'avais encore à faire.

Je me tournai vers le petit frère de Claire agrippé à la jambe de sa mère, et je voyais bien que je lui faisais peur. Il pensait que j'étais un monstre, exactement comme je l'avais souhaité.

« Je suis désolée de t'avoir fait peur, dis-je. Je ne le ferai plus jamais. Je te le promets. »

Et il continua lui aussi à me fixer. Si je n'avais pas été sûre du contraire, j'aurais pu croire que tous les membres de la famille avaient leur bouche sous scellés.

C'était trop dur d'attendre que ces gens se décident à parler ou non, et je n'étais d'ailleurs pas très sûre d'avoir le courage d'entendre ce qu'ils avaient à me dire. Je retournai donc vers le verger et me mis en route pour la maison.

Je me préparai à contrer une embuscade déloyale des DeLuna et décidai que, lorsque Maman et Papa me retrouveraient, ma vie ne tenant plus qu'à un fil, mes derniers mots seraient : « Que ces terres deviennent un parc, apprenez quelques bonnes manières buccales à Rufus et n'oubliez pas les friandises de Lulu. S'il vous plaît. »

Mais j'atteignis les limites de leur propriété sans cris ni

dommages et lorsque je les franchis, je me sentis vraiment mieux. Comme si mon cœur était à la fois plus lourd et plus léger.

CHAPITRE 30

S'excuser, c'est un peu comme le nettoyage de printemps. Au départ, on n'a pas vraiment envie de le faire. Mais il y a quelque chose à l'intérieur de soi, ou bien quelqu'un à l'extérieur qui est planté là les mains sur les hanches à dire : « C'est le moment de remettre de l'ordre par ici », et on ne peut pas y échapper.

Mais une fois qu'on commence, on se rend compte qu'on ne peut pas seulement nettoyer une pièce et en finir ; il faut s'attaquer à toute la maison ou bien on traîne la saleté d'un endroit à l'autre.

Puis ça commence à peser bien trop lourd et on a envie de laisser tomber plus que tout au monde. Mais il y a ce quelqu'un ou ce quelque chose qui vous répète : « Continue. Tu as presque fini. Pas le droit de laisser tomber. »

Puis d'un seul coup, c'est fini. C'était un moment terrible à passer, et on ne veut plus jamais avoir à faire ça de toute sa vie. Mais c'est plutôt sympa de voir que tout est propre et en ordre.

Et à cet instant précis, on est presque content de l'avoir fait. Enfin, presque.

Je dormis donc bien dans la nuit de samedi, mais en me réveillant le dimanche matin, je sus que je n'avais pas terminé.

Je sortis, allai au milieu du verger et inspirai profondément. Mes jambes tremblaient car les arbres et moi n'avions pas papoté depuis des lustres, et je n'étais pas sûre de l'ampleur ou de la violence de leur colère. Ils étaient carrément nombreux, et certains pouvaient, comme vous le savez, se montrer plutôt grossiers.

« Je suis désolée de ne pas avoir pu protéger vos amis. Je suis désolée de ne pas avoir pu sauver Winston et Philomena et tous les autres, commençai-je. Papa dit que nous pourrons planter d'autres arbres dans le pré au sud, et je sais que ça ne change rien mais on fait de notre mieux. » Je savais que de dire ça ne m'aiderait pas et me ferait d'ailleurs peut-être du tort mais, pour une certaine raison, je voulais qu'ils sachent que ça comptait aussi pour Maman et pour Papa.

« Ils me manquent aussi », dis-je.

Eh bien, de tous ces arbres, ces centaines d'arbres, aucun ne pipa mot. Je commençais à penser que mes excuses rendaient les gens sans voix, et qu'il faudrait que je tente le coup sur Emma Aaronson la prochaine fois qu'elle se lancerait dans un de ses discours sur sa bonne conduite qui lui valait une place de choix réservée au ciel à côté des anges.

Mais s'il vous est déjà arrivé de parler avec plein de gens, et que parmi tous ces gens se trouvent certains de vos meilleurs amis, et qu'ils font comme si vous n'existiez même pas, vous connaissez bien cette solitude que l'on ressent. Je crois que j'avais tout simplement atteint les limites de mon mal-être, de ma solitude et que j'étais complètement épuisée. Je m'assis donc par terre et je me mis à pleurer.

Et puisque ces arbres ne m'adressaient pas la parole mais n'allaient pas non plus quitter les lieux, je leur dis tout. Je lâchai vraiment tout, et je crois bien que c'était la première fois. Je leur racontai l'histoire de Maman et de sa grosseur, de Mlle Myers et de mon nom, ce que j'avais fait aux enfants DeLuna, ce que j'avais dit à Papa et à Maman. Et combien ces arbres m'avaient manqué, mais que je me doutais bien qu'ils seraient fâchés contre moi, et j'avais peur qu'il se produise exactement ce qui était en train d'arriver, et je ne leur avais donc pas rendu visite.

Quand j'eus terminé, le silence régnait toujours. Pendant une minute, j'éprouvais cette terrible peur que l'on peut ressentir lorsqu'on pense peut-être ne plus jamais, jamais partager la compagnie de quelqu'un qu'on aime.

Mais Viola, qui est la plus gentille du lot, me chuchota : « Toi aussi, tu nous as manqué, Ida B. »

Maurice, qui est le quatrième sur la liste des gentils, dit : « Bienvenue parmi nous, Ida B. »

Et là, d'un seul coup, mon cœur faillit déborder de joie.

Et puis cette teigne de Paulie T. dit : « Je suis toujours fâché, et ne pense pas que j'aille oublier quoi que ce soit, Ida B. Et je ne suis pas très sûr de pardonner non plus.

– Oh, Paulie T. ! » lança Viola.

Mais je me sentais tellement mieux que je pus m'occuper moi-même de Paulie T. « Tu vas m'en tenir rigueur ? demandai-je.

– Je ne sais pas, répondit-il, en bon voyou qu'il était.

– Ça me va, Paulie T., lui dis-je. Mais si tu veux en parler, je suis prête à t'écouter. »

Puis je bavardai un peu avec les gentils. Ce n'était pas comme au bon vieux temps, mais lorsqu'on n'a pas parlé avec un ami depuis un moment, même si c'est bizarre et guindé et que l'on ne sait pas vraiment quoi dire, ça reste tout de même la meilleure chose au monde.

Mais rapidement vint le moment de se quitter, car j'avais encore quelques arrêts à faire sur l'avenue des Atermoiements d'Ida B. J'avais presque atteint le bout du verger quand je me rendis compte qu'il me restait encore une chose à dire à ces arbres.

Je me retournai afin de leur faire face.

« Je ne laisserai plus jamais cela arriver, leur dis-je. Je ne laisserai plus jamais cela arriver, je le promets. »

Et je me dirigeai vers le ruisseau.

Le ruisseau m'assaillit tout de suite avec tant de questions que je ne parvins pas à suivre. « T'étais où, Ida B. ? Qu'est-ce t'as fait tout ce temps ? Pourquoi t'es pas venue me voir ? Qu'est-ce qui s'est passé ? » Et il commença à se répéter, alors je l'interrompis.

« Je suis désolée de ne pas être venue avant, dis-je. J'étais occupée et triste et ce n'est pas une excuse, mais tu m'as manqué et maintenant je suis de retour, alors ne t'inquiète pas. »

Il ne fallait pas que je traîne, car le ruisseau peut vous tenir la jambe toute la journée et il y avait encore un endroit où je devais me rendre.

Quand j'atteignis le sommet de la montagne, je m'éclaircis la voix.

« Bonjour », dis-je. Je me tins face au vieil arbre, le dos droit et les mains jointes devant moi.

« Tu as l'air en forme. Comment vas-tu ? » demandai-je pour entamer la conversation de manière plutôt cordiale.

Mais le vieil arbre n'a que faire des banalités, je passai donc aux choses sérieuses.

« Je suis désolée d'avoir été impolie. Je suis désolée d'avoir manqué de respect. Tu avais raison, en quelque sorte, car tout s'est finalement plutôt bien passé, pas parfaitement, mais bon. Je me suis énervée contre toi et je m'en excuse », dis-je.

Mais ça ne faisait aucun effet. Je disais les mots justes, mais pas les mots vrais.

Car j'avais tout simplement fait quelque chose de mal au vieil arbre, et admettre même d'y avoir pensé m'était insupportable. Lorsque j'avais donné un coup de pied à cet arbre, je n'avais pas seulement essayé de l'effrayer, j'avais aussi essayé de le faire souffrir. Et cela me semblait impensable de pardonner à quelqu'un qui aurait agi de la sorte.

J'avançai d'un pas et parlai plus doucement. « C'est dur », murmurai-je.

Mon cœur battait la chamade et je l'entendais dans mes oreilles et le sentais dans mes doigts. Je fermai les yeux, inspirai profondément, et m'emplis de la brise de la vallée. Puis je l'expirai doucement afin qu'elle poursuive son chemin, avec un peu de moi en plus.

« Je suis désolée de t'avoir donné un coup de pied. Je suis désolée d'avoir été méchante. Je suis vraiment désolée », dis-je, directement au tronc du vieil arbre.

Puis je ne sus plus quoi dire d'autre et je demeurai donc plantée là pendant un long moment. Je n'attendais pas que l'arbre me dise quelque chose, je restais simplement à ses côtés. Parce que cela me semblait juste.

Le vent soufflait légèrement sur la crête de la montagne et le silence régnait tout autour. Et au bout d'un moment, le calme et le silence s'emparèrent aussi de moi.

Je me sentis à nouveau seule, mais pas de manière déplaisante. J'eus l'impression de pouvoir m'enraciner là, en haut de la montagne, pour l'éternité et ne jamais plus ressentir la solitude. Même si le vieil arbre venait à disparaître.

Soudain, j'entendis un bourdonnement. Il venait de l'arbre. Comme lorsqu'on fredonne et qu'on ressent une vibration sur ses lèvres. Eh bien, rien que le petit bourdonnement de l'arbre fit vibrer mon corps tout entier.

Et le vieil arbre me dit quelque chose que mon cœur comprit, mais qui n'était pas en mots. C'était une vérité. Mais s'il fallait le mettre en mots, si je devais vous traduire ce que cet arbre venait de me dire, ce serait simplement ceci : « Toujours. »

Le bourdonnement et les vibrations détruisirent les dernières petites miettes de mon cœur de pierre qui, à mon grand étonnement, étaient toujours là, et des larmes coulèrent de mes yeux, mais je ne pleurais pas. Je posai du bout des doigts ma main gauche sur le tronc du vieil arbre et je sentis sa blancheur chaude, lisse et usée.

« Moi aussi », dis-je.

CHAPITRE 31

Je suppose que ç'aurait été vraiment sympa si Claire et moi avions pu nous retrouver le lundi et nous mettre à papoter, à jouer au ballon prisonnier et décider que nous étions des jumelles séparées à la naissance, devenant alors les meilleures amies pour la vie et habitant toutes les deux à côté l'une de l'autre. Mais ce ne fut pas le cas.

Je pense qu'elle me regardait plus souvent ou qu'elle n'évitait plus autant mon regard, et je ne l'épiais plus du coin de l'œil. Et quand nous nous trouvions nez à nez, nous nous disions même : « Salut », mais sans jamais prononcer de nom.

La bonne nouvelle, c'était que je ne me sentais pas mal à l'aise quand je la voyais. J'étais toujours désolée de m'être mal conduite, mais je ne pensais pas que cela me vaudrait tourments et autres tortures.

Si Claire voulait me faire payer, c'était son problème, mais je ne cherchais pas la bagarre.

Le lundi, pendant la récréation, Mlle W. s'arrêta comme d'habitude à côté de moi sur les marches.

« Tu as envie de parler de quelque chose, Ida ? demanda-t-elle, comme d'habitude.

– Non, m'dame », répondis-je. Mais cette fois je la regardai franchement et je souris.

Elle me dévisagea, comme pour vérifier si ce sourire était bien enraciné en moi. « Bon, d'accord. » Elle me rendit mon sourire et poursuivit son chemin.

« Tu veux jouer au ballon prisonnier, Ida ? » me demanda Ronnie pour la cent quatorzième fois le jeudi qui suivit le week-end des grandes excuses d'Ida B.

Allez savoir pourquoi des gens comme Ronnie persévèrent ainsi, surtout avec des gens comme moi qui sont passés maîtres dans l'art de dire : « Non. » Je me demande si la même partie de son cerveau qui avait tant de mal à apprendre les tables de multiplication avait aussi du mal à accepter « Non » pour réponse. Maman dirait qu'il est tenace et, souvent, je trouvais cette qualité bien pesante. Ce jour-là pourtant, je dus bien avouer lui être reconnaissante de sa ténacité. Mais je ne pouvais pas non plus être trop gentille trop vite.

« Qui joue ? demandai-je.

– Presque tout le monde. Tu vois, ils sont tous là-bas.

– Je jouerai dans quelle équipe ?

– Tu peux être dans mon équipe si tu veux.

– Est-ce qu'on a droit au ballon plaqué ? » Je savais bien que c'était interdit, parce que ça faisait des semaines que je les observais jouer, mais je faisais comme si je pesais bien le pour et le contre.

« Non.

– Si ça ne me plaît pas, je peux arrêter après une seule partie ?

– Bien sûr.

– Et si le ballon tape ma chaussure et le sol en même temps, je suis éliminée ?

– Je sais pas. »

Voilà l'autre atout de Ronnie et sa fameuse qualité. Alors que la plupart des gens en auraient eu assez de mes questions et seraient simplement partis, Ronnie tint bon et m'eut à l'usure. Je me trouvai à court de questions.

« Okay », dis-je, évitant que ma voix ne trahisse trop d'enthousiasme.

Et Ronnie, si brillant parfois, feignit l'indifférence. Il se dirigea juste vers le terrain de jeux avec moi, en gardant ses distances.

Et elle m'élimina sur-le-champ, cette sacrée Tina Poleetie, parce que je n'avais jamais joué au ballon prisonnier, j'imagine. Il se passa quelque chose d'étrange quand je me retrouvai sur place. Je restai figée à contempler le ballon qui m'arrivait droit dessus, sans réagir. Il me frappa à l'estomac et tomba au sol, Tina hurla : « Éliminée ! » et j'allai m'asseoir au bord du terrain jusqu'à ce que la partie soit finie.

Mais au bout de la deuxième partie, je m'améliorais déjà. Et à la fin de la récréation, je pensais bien être capable d'accéder au statut de joueuse de ballon prisonnier célèbre et émérite.

CHAPITRE 32

Le vendredi soir, après le dîner, Papa travaillait dans la grange et Maman et moi faisions la vaisselle.

Maman lavait lentement et j'essuyais encore plus lentement, comme si nous laissions un peu de temps à la vaisselle pour se confier à nous, si elle en avait eu envie.

Maman posa une assiette dans l'égouttoir et s'immobilisa. Je séchai l'assiette puis la séchai à nouveau, gardant le rythme jusqu'à la suivante.

« Ida B., dit finalement Maman.

– Oui, m'dame, lui répondis-je, astiquant toujours l'assiette qui nous séparait.

– Un jour... », commença-t-elle. Puis elle s'arrêta, comme si elle avait du mal à finir sa phrase.

« Oui, Maman ? dis-je tout en étudiant le motif sur l'assiette comme s'il fallait que je m'en souvienne pour un examen.

– Ida B., essaya-t-elle encore, un jour... » Puis elle tourna son corps vers moi.

C'était comme si le corps de Maman était un aimant

qui obligeait aussi mon corps à se tourner vers elle, et mes yeux ne faisaient plus que chercher son regard, pour voir ce que ses yeux à elle faisaient.

Maman était là, si près que ma peau frissonnait, attendant qu'on la touche. Cette Maman qui était différente de l'ancienne Maman. Elle était plus lente et plus calme et même lorsqu'elle riait, il y avait une tristesse indélébile qui se dessinait autour de sa bouche. Mais au fond de moi, je la reconnaissais. Et ses yeux avaient cet éclat, plus brillant qu'il ne l'avait été depuis longtemps. Ils souriaient et s'interrogeaient.

« Un jour, mon ange, dit-elle, délicate comme des pas dans la neige fraîche, j'aimerais entendre cette histoire que tu as lue à l'école. » Maman baissa les yeux et inspira profondément pour se remplir à nouveau. Puis elle revint vers moi. « Me lirais-tu un jour cette histoire, ma chérie ? »

Le silence s'installa alors entre nous.

Je savais bien qu'il me fallait rompre ce silence. Même si Maman se trouvait juste là, l'espace entre nous paraissait terriblement grand et le traverser semblait une aventure périlleuse. Je pensai qu'il me serait peut-être utile d'élaborer un plan afin de le franchir sans risquer de me blesser.

Mais mon nouvel-ancien-gros-cœur-bien-rempli me dit que, si je sautais le pas sans trop y réfléchir, je passerais de l'autre côté en un instant. Ce que je fis.

« D'accord, Maman », dis-je.

Maman sourit, puis se retourna et se remit au travail. Je rangeai l'assiette à sa place et me préparai pour la suivante.

Et l'éclat rayonnant traversa la pièce et s'enroula autour de nous l'une après l'autre, puis toutes les deux ensemble.

Juste au moment où Maman et moi étions sur le point de terminer, Papa rentra. Il se versa un verre d'eau, jeta un coup d'œil par la fenêtre au-dessus de l'évier, fit le tour de la table de la cuisine, jeta à nouveau un coup d'œil, s'éclaircit la voix et dit : « Belle nuit, dehors.

– Hmmmm », répondit Maman et elle toucha le bras de Papa en passant à côté de lui pour se diriger vers le grand fauteuil.

Papa scrutait l'horizon par la fenêtre comme s'il cherchait quelque chose d'une importance capitale. Il s'éclaircit une fois de plus la voix et dit : « Ida B., allons faire un tour. »

Je n'avais pas été seule avec Papa depuis superlongtemps. Et l'idée me rendait un peu nerveuse, étant donné que la dernière fois que nous avions eu du temps-rien-que-pour-nous-deux, il m'avait appris que les terres étaient vendues et que je retournais à l'école et à partir de là, les choses ne s'étaient pas très bien passées. Mais je ressentais toujours la chaleur rassurante du moment passé avec Maman, je répondis donc : « D'accord, Papa. »

Je me tournai vers Maman et lui lançai : « Maman, tu veux venir ? », pensant qu'elle allégerait peut-être la tension de ces retrouvailles.

Mais, de là où elle était assise, Maman sourit. « Je suis fatiguée, ma chérie. Allez-y sans moi. »

Nous embarquâmes le roi de Baveville et sortîmes. Nous parcourûmes une bonne distance avec pour seul bruit de fond Rufus qui haletait et bavait bruyamment.

Lorsque nous atteignîmes l'autre bout du verger, Papa

leva les yeux au ciel vers les étoiles, il inspira profondément et dit : « Nous sommes les gardiens de cette terre, Ida B. »

Maintenant je dois avouer qu'après toutes les terribles choses qui s'étaient produites et que nous avions subies cette année, j'étais quelque peu surprise d'entendre Papa me dire ça à nouveau. J'étais tellement surprise que même mes pieds s'emmêlèrent les pinceaux et trébuchèrent l'un sur l'autre.

J'étais en plein vol plané, en route pour une rencontre bien désagréable avec le sol et une ribambelle de gros cailloux bien tranchants.

Mais avant que je morde la poussière, Papa me rattrapa par le col de ma chemise, me redressa d'un coup et me remit sur pied. Puis il s'agenouilla à ma hauteur, me regarda dans les yeux et demanda : « Est-ce que ça va ? »

Papa et moi n'avions pas pris le temps de nous regarder droit dans les yeux depuis un bon moment, et je crois que le fait de voir enfin nos yeux fut, pour nous deux, à la fois surprenant et fascinant. Nous restâmes alors à nous fixer, un peu gênés et hypnotisés, pendant une minute ou deux.

Et aucun de nous ne dit un mot, mais je jure avoir entendu mon père parler. Tout comme le vieil arbre. Pas en mots mais en une sensation qui vous traverse de part en part jusqu'au cœur. Mais si je devais mettre des mots sur cette sensation, voici ce qu'elle dirait, je pense : « Je suis désolé. »

Eh bien Papa n'avait pas fini de me surprendre. Et là, ce fut un tel choc que je crus que j'allais encore trébucher, en arrière cette fois. Mais la tristesse et la sincérité dans ses yeux me gardèrent debout, droite et immobile, bien là avec lui.

Je lui renvoyai alors un message à mon tour. Pas de

mots, juste une sensation. Mais je laissai mon corps traduire ce que mon cœur lui disait, pour qu'il ne rate rien, ni ne se méprenne.

Je posai ma main sur son épaule et regardai dans ses yeux aussi profondément et aussi intensément que possible, jusqu'à ce que la tristesse présente à l'intérieur me consacre toute son attention. Je hochai la tête deux fois de suite. Et ce fut tout.

« Très bien », dit Papa en se relevant. Il essuya son pantalon qui n'était pas sale, et se retourna afin que nous soyons tous deux face à la maison.

Nous nous remîmes en route, Rufus en tête, à travers les vergers, en direction de la maison. Arrivée à la lisière de la pommeraie, je m'arrêtai et demandai : « Papa ? »

Il s'arrêta aussi. « Oui, Ida B. ?

– Je crois que la terre prend soin de nous. »

Il se mit à se frotter le menton comme s'il réfléchissait à cette pensée, mais pas aussi longtemps que la dernière fois que nous avions eu cette conversation. « Je crois bien que tu as raison, Ida B. », dit-il au ciel et aux étoiles et à la vallée. Nous nous dirigeâmes alors vers la maison.

Alors que nous marchions, j'entendais les arbres derrière nous qui acquiesçaient d'un murmure : « Mm-hmm », et je les sentais comme hocher la tête, s'ils en avaient eu une.

Je levai les yeux vers la montagne et vis le vieil arbre qui rayonnait dans la clarté lunaire, et d'un coup je me sentis à nouveau comblée, au point que mon cœur puisse s'échapper par ma gorge. Je réfléchis à la manière dont cela vous envahissait, venant de nulle part ; et si ça n'avait pas été une sensation aussi plaisante, ç'aurait pu devenir presque effrayant. Comme s'il y avait à l'intérieur de vous trop d'amour, trop de bons sentiments et trop de puissance pour un seul corps.

« J'arrive dans une minute, dis-je à Papa en grimpant les marches du porche.

– D'accord, Ida B. »

Et je m'assis sous le porche pour regarder toutes ces terres et cette montagne et ces arbres et ces étoiles qui n'étaient pas à moi et ne le seraient jamais. Mais qui, en quelque sorte, m'appartiendraient toujours, et je ne pouvais pas m'imaginer ne plus leur appartenir. Cela ne veut peut-être pas dire grand-chose en mots, mais pour moi, ce soir-là, cela me semblait très clair.

« Bonne nuit, murmurai-je.

– Bonne nuit, Ida B. », me répondit un doux chœur porté par la brise.

La santé de notre planète,
ainsi que de tous ses habitants, nous concerne.
La première édition de ce roman a donc été imprimée
sur du papier traité sans chlore.
En effet, lorsque le chlore est utilisé pour blanchir le papier,
le procédé crée des déchets toxiques
tels que les dioxines et le furane
qui peuvent rendre les gens et les animaux malades.

REMERCIEMENTS

Mes plus chaleureux remerciements à :

ma mère et mon père qui m'ont élevée depuis toujours parmi les livres ;

tante « Doreen », qui a contribué à mon éducation grâce à ses histoires et ses chansons des plus étranges ;

Carol Creighton et Mary Jo Pfeifer, les meilleures enseignantes ;

Kate DiCamillo, Alison McGhee et Holly McGhee, les lectrices et éditrices les plus merveilleuses et les plus convaincues ;

Lynn Lanning, médecin cancérologue, pour ses enseignements et ses conseils avisés ;

Steve Geck et toutes les personnes de Greenwillow Books et HarperCollins Children's Books qui ont pris soin d'Ida B. de manière extraordinaire ;

Catherine Dempsey et Angela Hannigan, grand-mères et homonymes, pour m'avoir légué le don de raconter les histoires et une volonté de fer ;

Victor Clark, qui a été à l'écoute, encore, encore et encore, avec amour, toujours.

DANS LA COLLECTION

Julia Alvarez
Tía Lola, 2004

Azouz Begag
Le Gone du Chaâba, 1986

Franny Billingsley
Le Gardien des créatures, 2004

Marie Brantôme
Avec tout ce qu'on a fait pour toi, 1995 (Prix Sorcières Roman, 1996)
L'Infante de Vélasquez, 2003
Sans honte et sans regret, 2005

Howard Buten
Quand j'avais cinq ans, je m'ai tué, 1981

Laura Gallego García
Le Collectionneur d'horloges extraordinaires, 2005

Silvana Gandolfi
Aldabra, la tortue qui aimait Shakespeare, 2003
L'Île du temps perdu, 2004

David Grossman
Duel à Jérusalem, 2003

Hilde Hagerup
Quelque chose que je regrette, 2005

Klaus Hagerup
Les lapins chantent dans le noir, 2004

Heidi Hassenmüller
Bonne nuit, sucre d'orge, 2003

Rachel Hausfater-Douïeb
Le Chemin de fumée, 1998

David Klass
Tu ne me connais pas, 2002

Elmore Leonard
Un coyote dans la maison, 2005

François Leterrier
Rue Charlot, 2003

Nicole Maymat
Entre eux la rivière, 2004

Pat O'Shea
Les Sorcières de la Morrigan, 2005

Nicole Parrot
Treize étranges histoires, 2005

Francine Prose
Après, 2004

Celia Rees
Journal d'une sorcière, 2002 (Prix Sorcières Roman, 2003)
Vies de sorcières, 2003
Mémoires d'une pirate, 2004

Marie-Claude Roulet
La Mère Satan et autres nouvelles du village, 2004

Lili Thal
Mimus, 2005

Kazumi Yumoto
L'Automne de Chiaki, 2004

RÉALISATION : PAO ÉDITIONS DU SEUIL
IMPRESSION : NORMANDIE ROTO S. A. S. À LONRAI
DÉPÔT LÉGAL : MAI 2005. N° 79391 (051202)
IMPRIMÉ EN FRANCE